W9-BQX-832

Express

Ruby Kaplan

Sara Garnick

Ron Felsen Deanna Gontard
Sylvia Goodman Savitsa Sévigny
Stephan Pelland

9e

ISBN 0-9732033-2-3
PC2129.E5K37   2003   448.2'421   C2003-902761-9

Printed in Canada

Chargée de l'édition:

Ruby Kaplan

Coordinatrice:

Sara Garnick

Directrices de programme:

Ruby Kaplan

Sara Garnick

Auteurs:

Ron Felsen, Conseil scolaire de Toronto

Sara Garnick, Conseil scolaire de district de la région de York

Deanna Gontard, Conseil scolaire de district de la région de York

Sylvia Goodman, Community Hebrew Academy of Toronto

Ruby Kaplan, Associated Hebrew Schools

Stephan Pelland, Conseil scolaire catholique de London

Savitsa Sévigny, Université York

Rédaction linguistique:

Agatha Bolton, Richmond Hill High School, Conseil scolaire de district de la région de York

Ron Felsen, Conseil scolaire de Toronto

Sylvia Goodman, Community Hebrew Academy of Toronto

Cathryn Sukerman, Community Hebrew Academy of Toronto

Conception graphique:

Heidy Lawrance Associates

Conception Artistique:

Ruby Kaplan

Illustrations:

Rosa Fuentes, artiste

Kemp Reece, artiste

Felix Tsetlin, artiste, artiste graphique

Ellen Yang, artiste, artiste graphique

R.K. Publishing Inc.

E-mail: ruby@rkpublishing.com • www.rkpublishing.com
Telephone: (905) 889 3530 • Fax: (905) 889 5230

Révisions pédagogiques:

Nous tenons à remercier tout particulièrement les enseignants et enseignantes,
      les conseillers et conseillères pédagogiques pour leur précieuses contributions.

Agatha Bolton, Richmond Hill High School, Conseil scolaire de district de la région de York

Daniel Dionne, Conseil scolaire catholique d'Ottawa-Carleton

John Everingham, Walkerton District Secondary School

Sara Garnick, Conseil scolaire de district de la région de York

Marisa Naccarato-Pugliese, Notre Dame Catholic Secondary,
      Conseil scolaire catholique de Durham

Nicole Patterson, Bayview Glen School

Stephan Pelland, Conseil scolaire catholique de London

Lisa True, Conseil scolaire catholique de Durham

Nous tenons à remercier tout particulièrement les enseignants et enseignantes des écoles
secondaires suivantes pour la mise à l'essai d'*EXPRESS*:

Community Hebrew Academy of Toronto, Conseil juif d'éducation

Monseigneur Paul Dwyer High School, Conseil scolaire de district catholique de Durham

Richmond Hill High School, Conseil scolaire de district de la région de York

Stouffville District Secondary School, Conseil scolaire de district de la région de York

Unionville High School, Conseil scolaire de district de la région de York

Vaughan Secondary School, Conseil scolaire de district de la région de York

Table des matières

Symboles

Je comprends

J'observe!

Je pratique

1, 2, 3 Partez!

Ici :

Je communique...

- **Préparation au voyage**
- **Le voyage**

Je partage...

- **Mes destinations pour voyager**
- **Mes connaissances :** *le présent des verbes réguliers et irréguliers*
  le comparatif et le superlatif des adjectifs

J'apprends et je comprends...

- **À utiliser :** *le futur simple des verbes réguliers (-er, -ir, -re) et quelques*
  verbes irréguliers (avoir, être, faire, venir, aller)
  les conjonctions de coordination : **mais, ou, et, donc**
  le comparatif et le superlatif de **bon** *et* **bien**
- **Le nouveau vocabulaire de l'unité**

Ma tâche finale...

- **Je partage mes impressions par courriel**
- **Je présente mon courriel à la classe**

EN ROUTE

Où aimes-tu voyager?

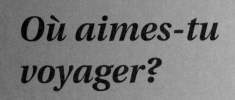

As-tu déjà pris l'avion? Si oui, où?

Que mets-tu dans ta valise?

As-tu mangé de la nourriture exotique ou différente?

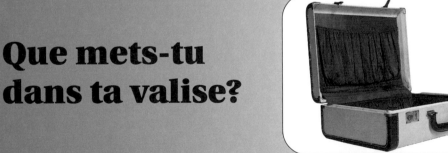

3

Paris, me voici!

*Claudia écrit un **courriel** à ses **correspondants** qui habitent Paris. Elle **rendra visite** à ses amis pendant les deux semaines de vacances d'hiver.*

Bonjour Nicole et Raphaël,

Demain, je ferai ma **valise** pour aller **chez vous** à Paris. Ce sera super de **faire votre connaissance** et de **découvrir** votre ville historique.

J'**apporterai** des chandails, des jupes pratiques et de longs pantalons. Je n'apporterai pas de shorts, je vous **expliquerai** pourquoi à Paris. J'aurai aussi des cadeaux pour vous, des tee-shirts des Maple Leafs, une équipe canadienne de hockey.

J'irai à l'aéroport international Pearson en voiture avec mes parents. Je **partirai** à 17h50 mercredi **soir** et ce sera **donc** un **vol** direct de Toronto à Paris. Je dormirai dans l'avion pour la **première** fois de ma vie! Quelle aventure! L'avion **atterrira** à 8h jeudi matin. Vous serez à l'**aéroport** Charles de Gaulle* à mon **arrivée**, n'est-ce pas? J'**ai hâte** de vous **rencontrer**! J'espère que nous pourrons danser dans une **boîte** du **Quartier Latin**.

Ma petite soeur **curieuse** veut savoir tous mes plans de voyage, mais elle n'aura pas ces **renseignements**, **bien entendu!** J'aime garder quelques secrets!

Envoyez-moi un courriel, **surtout** si j'ai oublié quelque chose d'important.

À bientôt!
Claudia

** **Charles de Gaulle**—
aéroport international de Paris*

Quand tu lis:
- regarde le titre
- regarde bien les illustrations
- observe les mots apparentés (comme en anglais)
- trouve les mots que tu connais
- utilise le Lexique
- Qu'est-ce que tu lis? Poème, article, lettre...

5

 **Je comprends...**

Avant de répondre:

- lis la question
- relis le texte
- observe les mots interrogatifs (Qui? / Pourquoi? / Combien? / Comment?...)

1. Où est-ce que Claudia ira en vacances?

2. Chez qui habitera-t-elle pendant deux semaines?

3. Qu'est-ce qu'elle apportera avec elle dans sa valise?

4. Quels sont les cadeaux pour ses amis?

5. Comment est-ce que Claudia ira à l'aéroport de Toronto?

6. À ton avis, pourquoi est-ce que Claudia veut visiter le Quartier Latin?

7. Pourquoi est-ce que Claudia choisit Paris comme destination? (deux raisons)

8. Quelle est ta destination préférée pour les vacances d'hiver? Pourquoi?

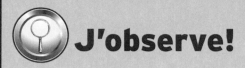

J'observe!

Le Futur Simple

Les verbes réguliers au futur simple

	Préparer	**Finir**	**Prendre**	**Terminaisons**
Je	prépare**rai**	fini**rai**	prend**rai**	**ai**
Tu	prépare**ras**	fini**ras**	prend**ras**	**as**
Il	prépare**ra**	fini**ra**	prend**ra**	**a**
Elle	prépare**ra**	fini**ra**	prend**ra**	**a**
Nous	prépare**rons**	fini**rons**	prend**rons**	**ons**
Vous	prépare**rez**	fini**rez**	prend**rez**	**ez**
Ils	prépare**ront**	fini**ront**	prend**ront**	**ont**
Elles	prépare**ront**	fini**ront**	prend**ront**	**ont**

Attention!

Au négatif: Je **ne** préparerai **pas**

Je **ne** finirai **pas**

Je **ne** prendrai **pas**

Attention!

Les verbes irréguliers au futur simple

aller – j'irai

avoir – j'aurai

savoir – je saurai

vouloir – je voudrai

venir – je viendrai

tenir – je tiendrai

être – je serai

faire – je ferai

voir – je verrai

envoyer – j'enverrai

pouvoir – je pourrai

Je pratique...

Le futur simple des verbes réguliers

Mets la forme correcte des verbes au futur simple

Exemple:
Claudia (voyager) _____ en avion pour aller à Paris.
Claudia (voyager) **voyagera** en avion pour aller à Paris.

1. Les parents (conduire) _____ Claudia à l'aéroport de Toronto.
2. L'avion (partir) _____ le soir à 17h50.
3. Les amis (réserver) _____ des billets.
4. Nicole (chercher) _____ Claudine à son arrivée à Paris.
5. Claudia ne (prendre) _____ pas de shorts.
6. Elle n' (apporter) _____ pas de shorts dans sa valise.
7. Est-ce que tu (écrire) _____ un courriel?
8. Claudia et ses amis (visiter) _____ le Quartier Latin.
9. Dans l'avion, Claudia ne (dormir) _____ pas.
10. Elle (atterrir) _____ à l'aéroport Charles de Gaulle.

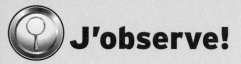

J'observe!

Les conjonctions: MAIS, OU, ET, DONC

Une conjonction relie deux mots/deux groupes de mots

1. Les amis de Claudia s'appellent Nicole **et** Raphaël.

2. Claudia apportera des pantalons **mais** pas de shorts.

3. Claudia doit préparer sa valise, **donc** elle finit son courriel.

4. Est-ce que Claudia mangera des croissants **ou** des petits pains au chocolat?

et relie deux concepts	**mais** montre une opposition
donc – exprime une conséquence – souvent précédé par une virgule (,)	**ou** propose un autre choix

Exemples:

i) Elle voyagera à Paris **et** elle découvrira cette ville historique.

ii) Elle dansera avec Raphaël **mais** elle ne dansera pas avec Claude.

iii) Elle n'a pas assez d'argent, **donc** elle restera à la maison.

iv) Claudia mangera des petits pains **ou** des céréales.

Je pratique...

Les conjonctions: MAIS, OU, ET, DONC

Dans les phrases suivantes, ajoute les conjonctions de coordination.

Exemple :

Elle achètera des tee-shirts ________ des chandails.
Elle achètera des tee-shirts **et** des chandails.

1. Est-ce que tu as fini la lettre ________ est-ce que tu écris encore?
2. Marie ________ Pierre sont en voyage.
3. Karim est son frère ________ Yasmine est sa sœur.
4. Marie est gentille ________ son frère n'est pas gentil, il est impatient.
5. ________ pourquoi veux-tu aller au marché avec moi?
6. J'aime acheter des fruits ________ des légumes.
7. Aimes-tu la viande ________ le poisson?
8. Pour le petit déjeuner elle a le choix: des croissants ________ des céréales.
9. Elle veut parler français, ________ elle étudie fort.
10. J'aime manger des fruits, ________ je suis en bonne santé.

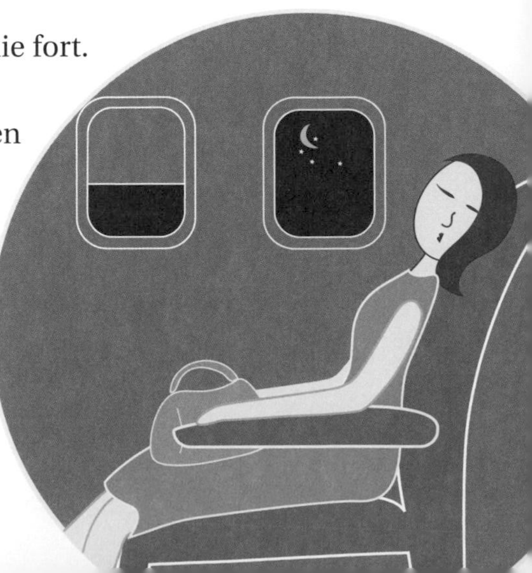

À la découverte de Paris

Quand tu lis:
- regarde le titre
- regarde bien les illustrations
- observe les mots apparentés (comme en anglais)
- trouve les mots que tu connais
- utilise le Lexique
- Qu'est-ce que tu lis? Poème, article, lettre...

*Claudia est **émerveillée** par Paris. Elle écrit un courriel à sa **copine** Monique qui habite Ottawa.*

Salut Monique,

Je suis au cyber-café de la rue St-Germain, j'ai deux minutes de **libre**. Voici mes premières impressions.

C'est chouette d'être ici à Paris. J'ai découvert **bien sûr** la Tour Eiffel avec mes amis Nicole et Raphaël. Elle est **majestueuse** et élégante. Nous avons aussi visité l'Arc de Triomphe et nous avons fait une promenade des Champs Élysées jusqu'à la Place de la Concorde.

La cuisine parisienne est très bonne, mais chez nous au Canada, elle est meilleure. J'aime bien les **petits pains** au chocolat, mais j'aime mieux les céréales chaudes avec du lait.

Nicole a dit que demain nous irons au Quartier Latin. Là, nous mangerons des **crêpes** aux fraises et de la crème glacée pour 4 **Euros**.

11

Raphaël jouera du saxophone demain à la **boîte** "Super-Étoile"
sur le boulevard St-Michel. Nous danserons toute la **soirée**. Nous
avons déjà **assisté à la répétition générale** du groupe musical de
jazz de Raphaël. Il est **tellement génial**! Nous avons visité le
célèbre **cimetière** du Père Lachaise où nous avons fait une très
belle **balade**. La tombe de Chopin est très romantique; la
tombe de Jim Morrison est moins belle mais plus populaire.
La plus belle c'est la tombe d'Édith Piaf.

La **pièce de résistance**, pour moi, restera toujours la visite
au **Marché aux Puces**. C'est le meilleur marché au monde.
Il est **bruyant** et **animé**. Il y a de la **barbe à papa**, des meubles, des habits,
un vrai **méli-mélo**. Nous avons
acheté du nougat de Montélimar
pour 2 Euros. C'est moins cher que
d'en acheter dans un **grand magasin**.
Quelle bonne aubaine!

Le métro à Paris est plus compliqué que le métro à
Toronto, mais moins **cher**. Les **Parisiens** voyagent
plus en métro qu'en voiture. Les rues ici sont plus
congestionnées qu'à Toronto et la **courtoisie** de rue est
inexistante
à Paris.

Réponds-moi vite.
Salut!
Claudia **:-)**

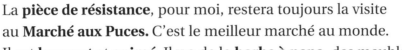

Je comprends...

Avant de répondre:
- lis la question
- relis le texte
- observe les mots interrogatifs (Qui? / Pourquoi? / Combien? / Comment?...)

Réponds aux questions suivantes avec des phrases complètes:

1. Nomme deux sites importants que Claudia visite.

2. Pourquoi Claudia est-elle émerveillée? Donne trois raisons.

3. Donne deux exemples des comparaisons positives de Claudia.

4. Donne deux exemples des comparaisons négatives de Claudia.

5. Pourquoi Claudia pense-t-elle que les Parisiens préfèrent prendre le métro?

6. Nomme un site historique que tu veux visiter à Paris. Pourquoi?

7. Pourquoi Claudia visite-t-elle le Marché aux Puces?

8. Comment est la courtoisie de rue à Paris?

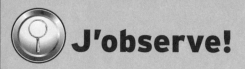 **J'observe!**

Le comparatif et le superlatif de: BON et BIEN

Le comparatif de l'adjectif *bon*

1. La chanson parisienne est *bonne*.   Les chansons parisiennes sont *bonnes*.
La chanson canadienne est *meilleure*.   Les chansons canadiennes sont *meilleures*.

La chanson canadienne est **meilleure que** la chanson parisienne.
Les chansons canadiennes sont **meilleures que** les chansons parisiennes.

2. Le petit pain au chocolat est *bon*.   Les petits pains au chocolat sont *bons*.
Le nougat est *meilleur*.   Les nougats sont *meilleurs*.

Le nougat est **meilleur que** le petit pain.
Les nougats sont **meilleurs que** les petits pains.

Le superlatif de l'adjectif *bon*

1. La chanson canadienne est **la meilleure**.
Les chansons canadiennes sont **les meilleures**.

2. Le nougat est **le meilleur**.
Les nougats sont **les meilleurs**.

L'adjectif	le comparatif	le superlatif
bon	meilleur que	le meilleur
bonne	meilleure que	la meilleure
bons	meilleurs que	les meilleurs
bonnes	meilleures que	les meilleures

Exemples:

i) La crêpe aux fraises est **meilleure que** la crêpe aux marrons.

ii) Le chocolat belge est **le meilleur** chocolat au monde.

iii) Les petits pains sont **meilleurs que** les céréales chaudes.

iv) Monique est **la meilleure** amie de Claudia.

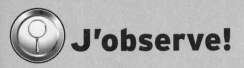

J'observe!

Le comparatif et le superlatif de: BON et BIEN

Le comparatif de l'adverbe *bien*

1. Raphaël chante **bien**.
   Nicole chante **mieux**.
   Nicole chante **mieux que** Raphaël.

2. Claudia voyage **bien**.
   Sa sœur voyage **mieux**.
   Sa sœur voyage **mieux que** Claudia.

Le superlatif de l'adverbe *bien*

1. Raphaël chante **bien**.
   Nicole chante **mieux**.
   Rachel chante **le mieux**.

2. Claudia voyage **bien**.
   Sa sœur voyage **mieux**.
   Leur ami voyage **le mieux**.

L'adverbe	le comparatif	le superlatif
bien	mieux que	le mieux

Exemples:

i) Raphaël joue **mieux** du saxophone **que** Claudia.

ii) Ed Belfour garde **le mieux** les buts des Maple Leafs.

iii) Les *Raptors* de Toronto jouent **mieux que** les *Pistons* de Détroit.

iv) La courtoisie canadienne est **la meilleure**.

 **Je pratique...**

Le comparatif et le superlatif de: BON

Complète les phrases en suivant le modèle:

Exemple:

La soupe est bonne, la tarte est ▓▓▓▓▓▓ la soupe et la crêpe est ▓▓▓▓▓▓.

La soupe est bonne, la tarte est **meilleure que** la soupe et la crêpe est **la meilleure**.

1. Le nougat est bon, le chocolat est ▓▓▓▓▓▓ le nougat et la tarte est ▓▓▓▓▓▓.

2. Les croissants sont bons, le nougat est ▓▓▓▓▓▓ les croissants et les petits pains sont ▓▓▓▓▓▓.

3. Les bonbons sont bons, les glaces sont ▓▓▓▓▓▓ les bonbons et le nougat est ▓▓▓▓▓▓.

4. L'acteur est bon, le chanteur est ▓▓▓▓▓▓ l'acteur et le danseur est ▓▓▓▓▓▓.

5. L'actrice est bonne, la chanteuse est ▓▓▓▓▓▓ l'actrice et la danseuse est ▓▓▓▓▓▓.

6. Les acteurs sont bons, les chanteurs sont ▓▓▓▓▓▓ les acteurs et les danseurs sont ▓▓▓▓▓▓.

7. Les actrices sont bonnes, les chanteuses sont ▓▓▓▓▓▓ les actrices et les danseuses sont ▓▓▓▓▓▓.

8. Les pantalons sont bons, les shorts sont ▓▓▓▓▓▓ les pantalons et les maillots sont ▓▓▓▓▓▓.

9. La valise est bonne, le sac à dos est ▓▓▓▓▓▓ la valise et le sac à roulettes est ▓▓▓▓▓▓.

10. Pauline est bonne en maths, Marie est ▓▓▓▓▓▓ Pauline et Ginette est ▓▓▓▓▓▓.

Activité 1

Avec un(e) ami(e), créez un dialogue de 6 phrases. Discutez les avantages des voyages.

N'oubliez pas d'utiliser:
- le nouveau vocabulaire
- le futur simple

Exemple:

Claudia: Selon moi, l'avenue des Champs Élysées est une avenue majestueuse.

Raphaël: Oui, tu as raison. Nous **irons** faire **les meilleurs** achats…

Avant de parler devant tes amis, le/la professeur/e:
- écoute bien
- pratique les nouveaux mots à voix basse
- utilise le Lexique

Quand tu parles devant tes amis, ton/ta professeur/e:
- parle lentement et clairement
- mets l'intonation
- mets l'expression orale
- utilise des gestes

Activité 2

Avec un(e) ami(e), préparez une entrevue d'un futur voyage à Paris.
Utilisez les textes de l'unité pour vous aider. Formulez
au moins 6 questions et donnez les réponses.

N'oubliez pas d'utiliser:
- le nouveau vocabulaire
- le futur simple
- le comparatif et le superlatif
- les conjonctions

Exemple:

Q Qu'est-ce que vous **ferez** quand vous **arriverez** à Paris?

R Je **visiterai** les **meilleurs** sites historiques, **mais** j'**irai** aussi au cinéma.

a)

> **Q** ▬▬▬
>
> **R** ▬▬▬

b)

> **Q** ▬▬▬
>
> **R** ▬▬▬

c)

> **Q** ▬▬▬
>
> **R** ▬▬▬

d)

> **Q** ▬▬▬
>
> **R** ▬▬▬

Quand tu parles devant tes amis, ton/ta professeur/e:
- parle lentement et clairement
- mets l'intonation
- mets l'expression orale
- utilise des gestes

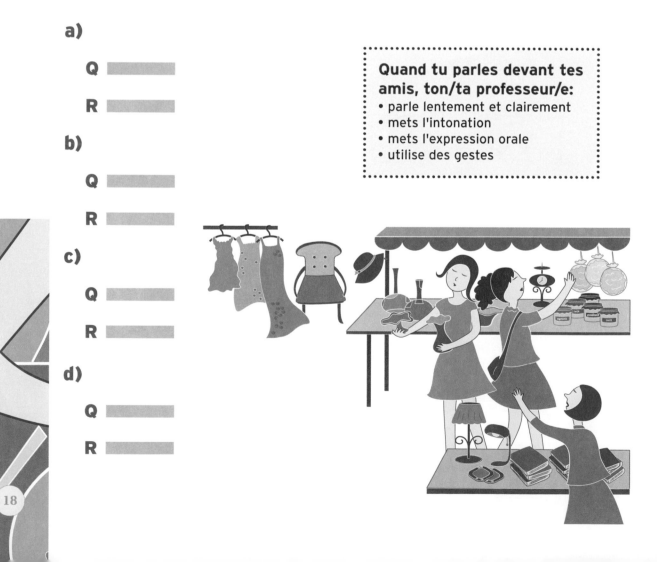

Activité 3

Tu prépares un voyage.

- Considère 3 destinations différentes
- Fais des comparaisons

Exemple :	1ère destination **OTTAWA**	2e destination **MONTRÉAL**	3e destination **PARIS**
Les sites historiques	J'aime **bien** la *colline du Parlement*	J'aime **mieux** *l'Oratoire St. Joseph* **que** la colline du Parlement.	...mais j'aime la *Tour Eiffel* **le mieux**.

Exemple :	1ère destination	2e destination	3e destination
a) Les sites historiques			
b) La cuisine			
c) Mes intérêts personnels			
d) . . .			

La tâche finale : (orale et écrite)

Tu voyageras à Paris ou à ... cet été et tu écriras une lettre à tes amis.

Tu mentionneras:

a) les sites historiques

b) la cuisine

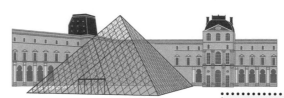

c) tes impressions personnelles

N'oublie pas d'inclure:

- la date
- l'adresse
- l'heure de ton arrivée ou de ton départ
- des aides visuelles (photos…)
- d'autres détails pertinents

Utilise:

- les lectures de cette unité pour t'aider
- le futur simple
- le nouveau vocabulaire de l'unité
- le comparatif et le superlatif
- les conjonctions: *mais, ou, et, donc*

Fais un brouillon et révise ton travail avec un(e) ami(e).

Tu liras ta lettre à la classe.

Bonne chance!

Quand tu écris:
- pour qui écris-tu?
- pourquoi écris-tu?
- quel est le sujet?
- utilise le texte original
- utilise le Lexique
- suis les instructions
- utilise les 3 Activités
- quel temps utilises-tu?
  (présent, passé, futur)
- corrige avec un partenaire
- vérifie les accents, le temps,
  les accords (féminin... pluriel...)

Quand tu parles devant tes amis, ton/ta professeur/e:
- parle lentement et clairement
- mets l'intonation
- mets l'expression orale
- utilise des gestes

Noms masculins

français	anglais	mots de la même famille	synonymes / antonymes
l'aéroport	airport	l'air (air)	
le copain	friend	la copine (friend)	**syn** l'ami
			ant l'ennemi
le cimetière	cemetery		
le correspondent	pen-pal	correspondre (to correspond)	
le courriel	e-mail	le courrier (mail)	**syn** le courrier électronique
l'Euro	the Euro (European currency)		
le départ	departure	partir (to leave)	**ant** l'arrivée
le marché	market	le supermarché (supermarket)	
le matin	morning	matinal (early hour)	**ant** le soir
le méli-mélo	mixture	mélanger (to mix)	**syn** la variété
le métro	subway	métropolitain (Paris subway)	
le lit	bed		
le nougat	nougat		
le pantalon	pants		**ant** les shorts
le Parisien	Parisian	Paris (city)	
le Quartier Latin	Latin Quarter		
le renseignement	information	renseigner (to inform)	**syn** l'information
le soir	evening	la soirée(evening-duration of)	**ant** le matin
le ton	tone		
le Torontois	Torontonian	Toronto (city)	
le vol	flight	voler (to fly)	
le voyage	trip	voyager (to travel)	

Lexique

Noms féminins

français	anglais	mots de la même famille	synonymes / antonymes
l'amie	friend	amitié (friendship)	**syn** la copine
l'arrivée	arrival	arriver (to arrive)	**ant** le départ
l'aubaine	deal		
la balade	walk	se balader (to walk)	**syn** la promenade
la barbe à papa	cotton candy		
la boîte	night club		
la connaissance	knowledge	connu (known)	**ant** l'ignorance
la copine	friend		**syn** l'amie
la crêpe	crepe		
la courtoisie	courtesy	courtois (courteous)	**syn** la politesse
la croisière	cruise		
la découverte	discovery	découvrir (to discover)	**syn** l'exploration
l'équipe	team	l'équipement (equipment)	
la fraise	strawberry		
la glace	ice	crème glacée (ice cream)	
la hâte	haste	avoir hâte (to be excited/eager)	
la jupe	skirt	jupette (small skirt)	
la laine	wool	lainage (woolen outfit)	
la nourriture	food	nourrir (to feed)	**syn** l'aliment
la nouvelle	news	bonne nouvelle (good news)	
la puce	flea		
la répétition	rehearsal	répéter (to repeat)	
la sœur	sister		**ant** le frère
la soirée	evening	le soir (evening)	**syn** la nuit
			ant la matinée
la tombe	grave		
les vacances	holiday(s)	vacancier(ère) (vacationer)	**syn** le congé
la valise	suitcase		**syn** le bagage
la vie	life	vivre (to live)	**ant** la mort
la ville	city	le village (village)	**syn** la cité

Lexique

Adjectifs

français	anglais	mots de la même famille	synonymes / antonymes
anim**é-e**	lively	l'âme (soul)	**ant** mort(e)
b**eau, bel, belle**	beautiful	la beauté (beauty)	**ant** laid(e)
b**on-ne**	good	la bonté (goodness)	**ant** mauvais(e)
bruyant**-e**	noisy	le bruit (noise)	**ant** silencieux(euse)/calme
canadi**en-ne**	Canadian	le Canada (Canada)	
ce-**cette**	this	ceci (this), cela (that)	
chaud**-e**	hot	la chaleur (heat)	**ant** froid(e)
ch**er-ère**	expensive	ch**é**ri(e) (darling)	**ant** bon marché
congestionn**é-e**	congested	la congestion (congestion)	**syn** encombré(e)
cur**ieux-euse**	curious	la curiosité (curiosity)	**syn** intéressé(e)
émerveill**é-e**	in awe	la merveille (marvel)	**syn** en admiration
génial**-e**	amazing		
historique	historic	l'histoire (history)	
inexistant**-e**	non existent	l'existence (existance)	**ant** existant(e)
libre	free	la liberté (freedom)	
majestu**eux-euse**	majestic	la majesté (Majesty)	**syn** noble
meilleur**-e**	better		**ant** pire
nation**al – e**	national	la nation (nation)	
parisi**en-ne**	Parisian	Paris (city)	
polon**ais-e**	Polish	la Pologne (Poland)	
pratique	practical	pratiquer (to practice)	
prem**ier-ère**	first	premièrement (firstly)	**ant** dernier
tout**-e**	all		**ant** aucun, rien

Adverbes

français	anglais	mots de la même famille	synonymes / antonymes
bien	well	le bien-être (well-being)	**ant** mal
donc	thus/therefore		
pendant	during		
mieux que	better than		**ant** pire que
surtout	above all		
tellement	so/so much		
vraiment	really	vrai (true)	
parfois	sometimes	fois (times)	

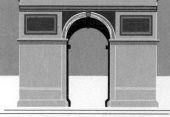

23

Lexique

ant = antonyme
syn = synonyme

Verbes

français	anglais	mots de la même famille	synonymes / antonymes
aller	to go	aller-retour (return ticket)	**ant** venir
apporter	to bring	porter (to carry)	**syn** prendre
assister à	to attend	assistance (presence)	**syn** voir
atterrir	to land	la terre (earth/land)	**ant** décoller
avoir	to have		
comprendre	to understand	la compréhension (comprehension)	**syn** saisir le sens
connaître	to know	la connaissance (knowledge)	
découvrir	to discover	la découverte (discovery)	**syn** révéler
dormir	to sleep	le dortoir (dormitory)	
être	to be	l'être humain (human being)	
expliquer	to explain	l'explication (explanation)	
faire	to do		**ant** défaire
rencontrer	to meet	la rencontre (meeting)	
partir	to leave	le départ (departure)	**ant** arriver
venir	to come	la bienvenue (welcome)	**ant** aller

Lexique

Expressions

français	anglais	expansion
avoir hâte de	to be excited about/eager	être pressé
bien entendu/bien sur	of course	
c'est chouette	it's cool	fantastique
chez vous	in your country	chez moi, chez toi
faire votre connaissance	to get to know you	
le grand magasin	department store	
le Marché aux Puces	flea market	
le petit pain	bun	pain au chocolat
la pièce de résistance	main attraction	
quelle bonne aubaine	what a deal!	
rendre visite	to visit someone	
la répétition générale	final dress rehearsal	

Dans la zone

Ici :

Je communique...

- La Police provinciale de l'Ontario
- Zone des **Ch@tteurs**

Je partage...

- Comment interroger quelques témoins
- Mes connaissances: *les mots interrogatifs*
  l'inversion
  les adjectifs réguliers

J'apprends et je comprends...

- À utiliser: *les mots interrogatifs*
  le langage particulier du courriel
  les adjectifs réguliers
- Le nouveau vocabulaire de l'unité

Ma tâche finale...

- J'invente un mystère
- Je le présente sous forme de tableaux

EN ROUTE

Connais-tu une personne disparue?

Comment aides-tu la famille de la personne disparue?

Quels sites web visites-tu sur Internet?

Est-ce qu'il y a un langage particulier dans la zone de ch@t? Explique.

Police provinciale de l'Ontario

Quand tu lis:
- regarde le titre
- regarde bien les illustrations
- observe les mots apparentés (comme en anglais)
- trouve les mots que tu connais
- utilise le Lexique
- Qu'est-ce que tu lis? Poème, article, lettre...

Personne disparue

Josef Paul Paquette

NOM:	Josef Paquette	POIDS :	83 kg (180 lb)
DDN :	21 août 1967	TAILLE :	183 cm (6 pieds)
SEXE :	Masculin	CHEVEUX :	Noirs, aux épaules
YEUX :	Bleus	CARRURE :	Moyenne

CARACTÉRISTIQUES : **Tatouage** représentant un lion avec des **ailes** sur son **bras** droit.

VÊTEMENT : Il **porte** un **blouson** noir, à **manches** blanches. Au dos, il y a une **feuille d'érable rouge**.

On a vu M. Paquette pour la dernière **fois** le 22 mars 1999 à sa **résidence,** 324, rue Lafontaine dans le **canton** de Chapleau en Ontario.

Le **même** jour, un voisin est allé chez M. Paquette à 13h. Il a trouvé la porte **ouverte** et il a entendu la musique du **lecteur de disques compacts**.

L'enquête a **révélé** que M. Paquette a la **déprime à cause de:**
1. **l'échec** d'une **liaison**
2. la **maladie** dans sa famille

M. Paquette **n'**a **contacté personne**. Sa famille et ses amis n'ont pas de nouvelles.

M. Paquette, on vous cherche!

Communiquez avec:
- l'**agent-détective** R. Fournier
- le **commissaire** Jules St. Boniface
- **Détachement** de Sudbury

Police provinciale de l'Ontario
14, avenue Mensonge
Sudbury (Ontario)   P2A 4S8
Date : 19 août 1999
Téléphone: (705) 555-5555 • Télécopieur : (705) 555-5552

Réponds aux questions suivantes avec des phrases complètes :

1. Qui est Josef Paul Paquette?

2. Quel âge a Josef?

3. Combien pèse Josef?

4. Décris les cheveux de Josef.

5. Décris le tatouage de Josef.

6. Qu'est-ce qu'il y a au dos du blouson de Josef?

7. Quand est-ce qu'on a vu Josef pour la dernière fois?

8. Pourquoi a-t-il la déprime? (2 raisons)

9. Qui est-ce que Josef a contacté?

10. Qui est R. Fournier? Pourquoi est-il important?

> **Avant de répondre:**
> - lis la question
> - relis le texte
> - observe les mots interrogatifs (Qui? / Pourquoi? / Combien? / Comment?...)

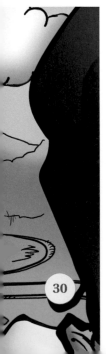

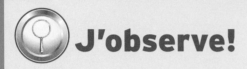 # J'observe!

Les mots interrogatifs

Est-ce que

Pourquoi est-ce que tu vas à la police?

Où est-ce que vous habitez?

Quand est-ce qu'elles arrivent?

Comment est-ce que Josef part?

À qui est-ce que tu écris?

De qui est-ce qu'ils rêvent?

Combien de bonbons est-ce
   que nous mangeons?

Inversion

Pourquoi vas-tu à la police?

Où habitez-vous?

Quand arrivent-elles?

Comment Josef part-il?

À qui écris-tu?

De qui rêvent-ils?

Combien de bonbons
   mangeons-nous?

Attention !

| Qui **est-ce qui** chante? | Qui chante? |
| Qui **est-ce que** tu vois? | Qui vois-tu? |

Attention !

On utilise [qui] pour une personne

Exemple*: **Qui** parle? **Mon professeur** parle.

   Qui regardes-tu? Je regarde **mon professeur**.

Attention !

Avec questions / réponses
PAS DE CHANGEMENT!

je ⟷ tu   il / ils
   ↘ vous

nous ⟷ vous   elle / elles

32

 **Je pratique...**

Les mots interrogatifs

Utilise: qui? / quand? / où? pour trouver la question.

Exemple:

13 heures   **Quand?**

Réponses   **Questions**

1. le matin   ▬▬▬▬

2. la maison   ▬▬▬▬

3. le professeur   ▬▬▬▬

4. plus tard   ▬▬▬▬

5. souvent   ▬▬▬▬

6. ici   ▬▬▬▬

7. le Premier Ministre   ▬▬▬▬

8. demain   ▬▬▬▬

9. le/la secrétaire   ▬▬▬▬

10. jamais   ▬▬▬▬

Zone des Ch@tteurs

Voici les **fameux** smileys. Ils **expriment** les émotions de façon **drôle**! Ce sont ces petites **figurines** qui **rigolent**, **pleurent** ou rougissent et **permettent** aux **chatteurs** de communiquer leurs émotions et de donner un **ton** à leurs messages.

:-)	sourire		:'-(	je pleure
:-))	rire		:-#	je ne dirai rien
:-(	triste		:-0	je suis choqué(e)
:-I	indifférent(e)		:">	je rougis
:-C	mécontent(e)		:-p	je tire la langue
>:-)	diabolique		()	sans commentaire
:-*	bisous		:o)	le clown
*<:-)	le père Noël		:-/	je m'interroge
0:)	l'ange		:-x	je t'aime
:-D	je rigole		x-)	je suis furieux(euse)
l-)	zzz....je dors		:>	je suis fier(ère)

Quand tu lis:

- regarde le titre
- regarde bien les illustrations
- observe les mots apparentés (comme en anglais)
- trouve les mots que tu connais
- utilise le Lexique
- Qu'est-ce que tu lis? Poème, article, lettre, liste...

Les mots utilisés sur le ch@t

Les chatteurs ont un langage bien **particulier**. Ce langage est basé sur la **phonétique**. Pour vous aider à entrer dans le monde du ch@t, voici une petite liste de mots les plus utilisés sur les **canaux** :

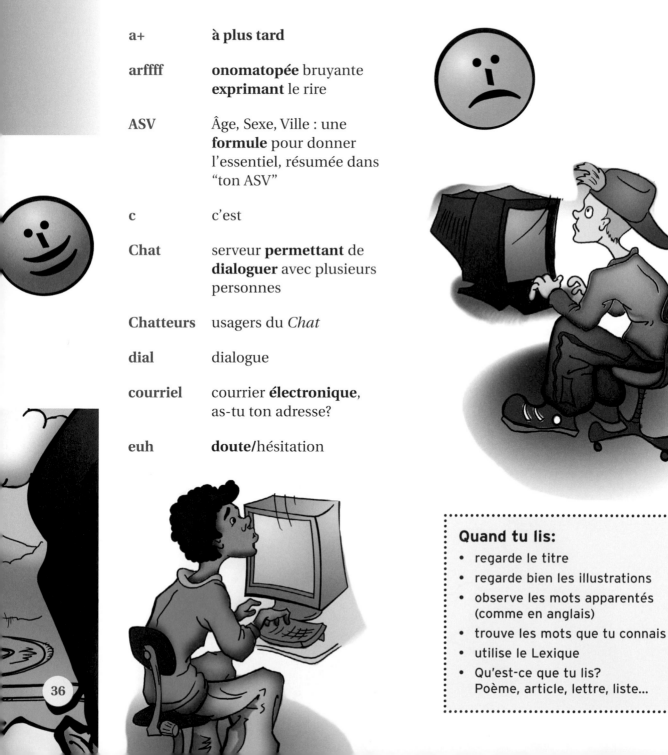

a+	**à plus tard**
arffff	**onomatopée** bruyante **exprimant** le rire
ASV	Âge, Sexe, Ville : une **formule** pour donner l'essentiel, résumée dans "ton ASV"
c	c'est
Chat	serveur **permettant** de **dialoguer** avec plusieurs personnes
Chatteurs	usagers du *Chat*
dial	dialogue
courriel	courrier **électronique**, as-tu ton adresse?
euh	**doute**/hésitation

Quand tu lis:

- regarde le titre
- regarde bien les illustrations
- observe les mots apparentés (comme en anglais)
- trouve les mots que tu connais
- utilise le Lexique
- Qu'est-ce que tu lis? Poème, article, lettre, liste...

g	j'ai
grrrr	**mécontentement**
hahaha	pour rire
hehehe	cynique du hahaha
koa ? koi ?	quoi?
pkoi ?	pourquoi?
kiceki ?	qui est-ce qui?
mdr	**mort de rire**
nan	phonétique de non
ok	d'accord
ouaips	oui avec **l'accent** des chatteurs
oups	exprimer un étonnement, une **peur**
pffff	onomatopée quand on n'est pas **d'accord**

Carmel

Quand tu lis:

- regarde le titre
- regarde bien les illustrations
- observe les mots apparentés (comme en anglais)
- trouve les mots que tu connais
- utilise le Lexique
- Qu'est-ce que tu lis? Poème, article, lettre, liste...

Profil personnel de Carmel «le Chat»

Courriel	patte-de-carmel@**branchez**.fr
Âge	4 ans (de 28 à 35 ans pour un chat)
Sexe	féminin
Zone géographique	Europe centrale: France, Nice
Langues parlées	l'anglais et le français
Activités	dormir, manger, dormir, manger, **miauler**, dormir…
*Musique **préférée***	rock (classique)
Type de film	action
Lecture préférée	science-fiction
Sport	le jogging
Autres loisirs	jouer avec la souris et **papoter** avec des oiseaux par la fenêtre
Situation civile	célibataire
Utilisation Internet	au moins une fois par jour
Caractère	sens de l'humour, **bon vivant** anti vulgarité, **haleine** de poisson et d'eau !!

 # Je comprends...

Avant de répondre:
- lis la question
- relis le texte
- observe les mots interrogatifs (Qui? / Pourquoi? / Combien? / Comment?...)

Réponds aux questions suivantes avec des phrases complètes:

1. Qu'est-ce que c'est: un «smiley »?

2. Qu'est-ce que c'est: « **a+** »?

3. Quelle est l'expression qui exprime le doute ou l'hésitation?

4. Définis les expressions suivantes: a) **dial** b) **grrrrrr** c) **koa** d) **mdr** e) **pffff**

5. Quel est le courriel de Carmel?

6. Combien de langues est-ce que ce chat parle? Explique.

7. Nomme deux loisirs de Carmel.

8. Nomme une chose qui caractérise le chat?

J'observe!

Les adjectifs réguliers

1. Paul est blond.   Paul et Éric <u>sont</u> blond**s**.
2. Le chat est noir.   Le chat et le chien <u>sont</u> noir**s**.

3. Nicole est grand**e**.   Nicole et Tamar <u>sont</u> grand**es**.
4. Elle est petit**e**.   Elles <u>sont</u> petit**es**.

masc sing –	masc plur s	fém sing e	fém plur es
masc sing Il est…	**masc plur Ils sont…**	**fém sing Elle est…**	**fém plur Elles sont…**
blond	blond**s**	blond**e**	blond**es**
grand	grand**s**	grand**e**	grand**es**
gris	gris	gris**e**	gris**es**
joli	joli**s**	joli**e**	joli**es**
vert	vert**s**	vert**e**	vert**es**
anglais	anglais	anglais**e**	anglais**es**
français	français	français**e**	français**es**
content	content**s**	content**e**	content**es**
organisé	organisé**s**	organisé**e**	organisé**es**
artistique	artistique**s**	artistique	artistique**s**

Attention!

Les adjectifs avec **s** à la fin, ne changent pas au masculin pluriel.
Le chat est **gris**.   Les chats sont **gris**.

Attention!

Paul et Éric sont blonds.   **Paul et Julie** sont blonds.
Paul, Anisha et Julie sont blonds.

Paul est artistiqu**e**.   **Julie** est artistiqu**e**.
Paul et **Éric** sont artistiqu**es**.   **Julie** et **Anisha** sont artistiqu**es**.

 # Je pratique...

Les adjectifs réguliers

Mets l'adjectif à la forme correcte:

Exemple:

(intéressant)　　*Ce n'est pas une histoire* ▨▨▨
　　　　　　　　Ce n'est pas une histoire intéressante.

(petit)　　　　**1.** *Mes amis sont*

(intelligent)　**2.** *Le prince et la princesse sont*

(clair)　　　　**3.** *Les mots sont*

(ouvert)　　　**4.** *La fenêtre est*

(vert)　　　　**5.** *Les fruits sont*

(différent)　　**6.** *Je parle trois langues*

(organisé)　　**7.** *Carmel est*

(blond)　　　**8.** *Lisa et Nicole ne sont pas*

(gris)　　　　**9.** *La souris est*

(français)　　**10.** *Fiona et son père sont*

Activité 1

Fais une affiche d'une personne disparue.
Tu dois inclure:

a) NOM

b) DDN

c) SEXE

d) TAILLE

e) POIDS

f) CARRURE

g) CHEVEUX

h) YEUX

i) CARACTÉRISTIQUES

j) VÊTEMENTS

k) une petite DESCRIPTION de la personnalité du/de la disparu(e)

Activité 2

Qu'est-ce qui te semble bizarre dans l'histoire de la ***personne disparue***?
Tu es journaliste. Prépare une entrevue avec un membre de la famille de la personne disparue.

- Utilise le nouveau vocabulaire et les mots interrogatifs
- Utilise le texte de la lecture PPO pour t'aider

Nom du membre de la famille:

Relation avec le disparu:

Avant de parler devant tes amis, le/la professeur/e:
- écoute bien
- pratique les nouveaux mots à voix basse
- utilise le Lexique

a) Question:

Réponse:

b) Question:

Réponse:

Quand tu parles devant tes amis, ton/ta professeur/e:
- parle lentement et clairement
- mets l'intonation
- mets l'expression orale
- utilise des gestes

c) Question:

Réponse:

d) Question:

Réponse:

Activité 3

Quand tu parles devant tes amis, ton/ta professeur/e:
- parle lentement et clairement
- mets l'intonation
- mets l'expression orale
- utilise des gestes

Avec un(e) ami(e), créez un dialogue dans *la Zone des Ch@tteurs.* Utilisez des mots interrogatifs et des adjectifs avec les smileys.

Exemple:

Cm2Villers dit:	*Toujours dans la neige?*
stejarc64 dit:	*Oui, on est toujours dans la neige* ***blanche****…* **:'-(**
Cm2Villers dit:	*C'est* ***quand*** *le printemps?* **:>**
stejarc64 dit:	*Le printemps pour nous commence aujourd'hui avec 3 tests* **:-(**
Cm2Villers dit:	*()*
stejarc64 dit:	*Tu n'es pas* ***nerveux****?*
Cm2Villers dit:	***:-/ …***

a) Question: [redacted]

Réponse: [redacted]

b) Question: [redacted]

Réponse: [redacted]

c) Question: [redacted]

Réponse: [redacted]

Activité 4

Fais un profil personnel pour le réseau de www.epals.com en phrases complètes. (epals est la plus grande communauté scolaire branchée au monde. Elle relie plus de **4,5 millions d'élèves et d'enseignants.)**

Exemple: Courriel	*Mon courriel est: carmel@branchez.fr*
Courriel	
Âge	
Sexe	
Zone géographique	
Langue parlée	
Activités	
Musique préférée	
Type de film	
Lecture préférée	
Sport	
Autres loisirs	
Situation civile	
Utilisation Internet	
Caractère	

☺ Tâche finale: (orale et écrite)

Avec deux / trois amis, inventez un mystère qui utilise un nom de chaque colonne **A**, **B** et **C**. Récréez ce qui s'est passé avant, pendant et après le crime en forme de trois tableaux (art dramatique).

N'oubliez pas d'inclure:

- des aides visuelles pour la présentation
- des costumes
- des accessoires

Exemple:

A. un boulanger   **B.** un marteau   **C.** au château

1. Le boulanger a pris un grand marteau.

2. Il a cassé la table verte.

3. Au château, il a placé le grand marteau derrière l'ordinateur. >:-)

Colonne A	Colonne B	Colonne C
un clown	des ciseaux	à la plage
un boulanger	une gomme	au parc
un dentiste	**un marteau**	sous la mer
un infirmier	une boîte	en avion
un mécanicien	un chapeau	au gymnase
une reine	un sifflet	au zoo
une docteure	une corde	au sous-sol
une juge	des bas	dans un bol
une sorcière	une agrafeuse	**au château**

☺ Tâche finale: (orale et écrite) suite

Quand vous avez présenté vos tableaux à vos amis, ils deviennent maintenant témoins du crime. Un étudiant prend le rôle du chef de police. Il cherche les personnes qui ont des renseignements des crimes étranges dans le voisinage…

Chaque groupe crée un dossier:

a) photos

b) description du criminel

c) description du crime

d) conclusion / solution

e) communique par courriel le dossier à Interpol
   (utilise les activités et la lecture PPO comme modèle)

f) utilise 8 adjectifs

g) utilise 4 phrases interrogatives

Quand tu écris:
- pour qui écris-tu?
- pourquoi écris-tu?
- quel est le sujet?
- utilise le texte original
- utilise le Lexique
- suis les instructions
- utilise les 3 Activités
- quel temps utilises-tu?
  (présent, passé, futur)
- corrige avec un partenaire
- vérifie les accents, le temps,
  les accords (féminin... pluriel...)

Quand tu parles devant tes amis, ton/ta professeur/e:
- parle lentement et clairement
- mets l'intonation
- mets l'expression orale
- utilise des gestes

Lexique

Noms masculins

français	anglais	mots de la même famille	synonymes / antonymes
l'accent	accent	accentué (pronounced)	
l'agent-détective	detective agent	l'agent (agent)	
le blouson	jacket	la blouse (blouse)	
le bras	arm		
le canal	channel		syn le réseau
le canton	district		syn la région
le célibataire	single person		
le chatteur	chatter in chat room	le ch@t (ch@t line)	syn le clavardeur
le commissaire	captain	le commissariat (police station)	syn le capitaine
le courriel	e-mail	le courrier (mail)	syn courrier électronique
le détachement	detachment	détacher (to detach)	
le doute	doubt	douteux(euse) (doubtful)	ant la croyance
l'échec	failure / defeat	les échecs (chess)	
l'élève	student		syn l'étudiant(e)
l'étonnement	astonishment / surprise	étonner (to be surprised)	ant l'indifférence
l'enseignant	teacher	enseigner(to teach)	syn le professeur
le lecteur de disques compacts	compact disc player		
le mécontentement	discontent	mécontent(e) (discontent)	ant le contentement
le mot	word		syn la parole
le tatouage	tattoo	tatouer (to tattoo)	
le télécopieur	fax machine	la télécopie (fax)	
le ton	tone		syn la tonalité
le vêtement	clothing	vêtu(e) (to dressed)	syn l'habillement

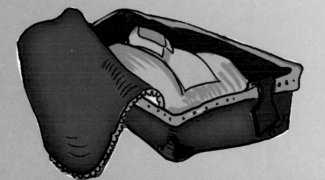

Lexique

ant = antonyme
syn = synonyme

Noms féminins

français	anglais	mots de la même famille	synonymes / antonymes
l'aile	wing	l'ailier (wing- hockey)	
la caractéristique	characteristic	caractériser (to characterize)	
la carrure	build		**syn** la taille/ la largeur des épaules
la célibataire	single person		
la déprim**e**	depression	la dépression (depression)	**syn** la mélancolie/ la dépression
l'enquête	investigation	enquêter (to investigate)	**syn** l'investigation
la figurine	figurine	la figure (face)	
la feuille d'érable	maple leaf		
la fois	time (once, twice)		
la formule	formula	le formulaire (form)	**syn** la forme
l'haleine	breath		
la lecture	reading	lire (to read)	
la liaison	love relationship	lier (to tie up)	
la maladie	sickness / disease	malade (sick)	**ant** la bonne santé
la manche	sleeve		
la mort	death	mourir (to die)	**ant** la vie
l'onomatopée	onomatopoeia		
la peur	fear	peureux(euse) (fearful)	**syn** la frayeur
la phonétique	phonetics	phonétiquement (phonetically)	
la race	race	le racisme (racism)	
la résidence	residence	résider (to reside)	**syn** la maison/ l'appartement
la zone	zone		**syn** le secteur

Lexique

Adjectifs

français	anglais	mots de la même famille	synonymes / antonymes
déprim**é – e**	depressed	la dépression (depression)	**ant** heureux(euse)
diabolique	diabolical	le diable (devil)	**ant** angélique
disparu **–e**	missing	la disparition (disappearing)	**ant** trouvé(e)
drôle	funny	drôlement (strangely)	**syn** amusant(e)
électronique	electronic	l'électricité (electricity)	
fam**eux – euse**	famous		**syn** célèbre
même	same		**ant** différent(e)
moy**en –ne**	medium/average		
ouvert **–e**	open	ouvrir (to open)	**ant** fermé(e)
particuli**er –ière**	particular	particulièrement (particularly)	
préfér**é –e**	favourite	préférer (to prefer)	**syn** favori(te)
rouge	red	rougir (to redden)	

Adverbes

français	anglais	mots de la même famille	synonymes / antonymes
ainsi que	just as		
depuis	since		
ne...personne	no one	la personne (person)	**ant** quelqu'un

Lexique

ant = antonyme
syn = synonyme

Verbes

français	anglais	mots de la même famille	synonymes / antonymes
brancher	to connect/on line	branché(e) (connected)	
contacter	to contact	le contact (contact)	
dialoguer	to dialogue	le dialogue (conversation)	**syn** communiquer
dormir	to sleep		**ant** se réveiller/se lever
exprimer	to express	l'expression (expression)	**syn** parler
miauler	to meow	miaulement (mewing)	
papoter	to chatter	le papotage (chattering)	**syn** bavarder
permettre	to permit	la permission (permission)	**syn** autoriser
pleurer	to cry	les pleurs (tears)	**ant** rire
porter	to wear		**ant** enlever
prier	to ask	la prière (prayer)	
représenter	to represent	présenter (to present)	
révéler	to reveal		**syn** montrer
rigoler	to laugh	la rigolade (laughter)	**syn** rire
rire	to laugh	le sourire(smile)	**ant** pleurer
trouver	to find	la trouvaille (find)	**ant** perdre

Lexique

Expressions

français	anglais	expansion
à cause de	because of	
à plus tard	see you later	**ant** à bientôt
bon vivant	jovial	
DDN	D.O.B. (date of birth)	la date de naissance
être d'accord	to agree	
mort de rire	to die laughing	
nan	nah	non
ouaips!	yeah!	oui

Pourquoi moi?

Ici :

Je communique...

- L'adolescence...la génération incomprise
- La journée typique d'un ado

Je partage...

- La bête noire des ados : comment communiquer avec les adultes
- Mes connaissances : *les adjectifs réguliers, le présent des verbes réguliers*

J'apprends et je comprends...

- À utiliser : *les adjectifs irréguliers, le présent des verbes réfléchis, les pronoms accentués*
- Le nouveau vocabulaire de l'unité

Ma tâche finale...

- Je prépare un dialogue avec un(e) partenaire
- Je le présente devant la classe

Aimes-tu être ado? Pourquoi?

Quelle sorte de communication as-tu avec les adultes?

Quelles difficultés as-tu avant les classes?

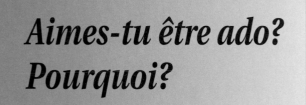

Est-ce que les adultes comprennent les ados?

55

Les ados...
la génération incomprise

Sacha et Katerina, deux **ados** canadiens, discutent de leur **bête noire**: les **adultes** qui ne les comprennent pas. Ils pensent que tous leurs **copains** sont dans la même situation qu'eux.

Katerina : Salut, Sacha. Ça va ?

Sacha : Bof! Pas vraiment.

Katerina : Pourquoi pas ?

Sacha : Mes parents ne me comprennent pas. Je veux faire du ski **cette fin de semaine** avec un ami, mais ils disent « Absolument pas! ».

Quand tu lis:

- regarde le titre
- regarde bien les illustrations
- observe les mots apparentés (comme en anglais)
- trouve les mots que tu connais
- utilise le Lexique
- Qu'est-ce que tu lis? Poème, article, lettre...

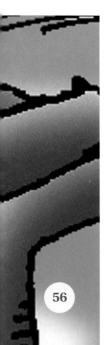

Katerina : Tes parents ne sont pas **cool**! Pourquoi pas?

Sacha : Leur **excuse** est qu'ils ne **connaissent** pas les parents de **cet** ami.

Katerina : Nos parents **compliquent** notre vie! Moi aussi, j'ai de **sérieuses** difficultés avec mes parents. Ils ne me donnent pas assez d'**argent de poche** pour acheter les **nouveaux** CD de ma **chanteuse favorite**! Ils trouvent qu'ils sont trop **chers**.

Sacha : Pourquoi les parents sont-ils comme ça?

Katerina : Parce qu'ils sont **tous** adultes. C'est eux **contre** nous.

Sacha : **Qu'ils sont vieux jeu** ! Ils oublient comment c'est d'être **jeunes**.

Katerina : Nos parents sont **sympa**, mais leurs idées… c'est une autre histoire!

Sacha : Ils répètent toujours que la communication **ouverte** est **essentielle** dans une **famille**, mais nos suggestions sont **rarement** acceptées!

Katerina : Ils ne sont **jamais satisfaits**. Nous sommes toujours trop jeunes ou trop vieux.

Sacha : C'est pourquoi l'**adolescence** est la génération incomprise!

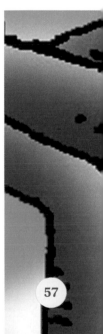

Je comprends...

Réponds aux questions suivantes avec des phrases complètes :

1. Quel est le sujet de la discussion entre Sacha et Katerina?

2. Pourquoi Sacha est-il fâché?

3. Qu'est-ce que Katerina pense des parents de Sacha?

Avant de répondre:

- lis la question
- relis le texte
- observe les mots interrogatifs (Qui? / Pourquoi? / Combien? / Comment?...)

4. Pourquoi les parents de Sacha ne donnent-ils pas la permission de faire du ski?

5. Pourquoi Katerina a-t-elle aussi des difficultés avec ses parents?

6. Quelles opinions les jeunes ont-ils des adultes? Nomme un aspect positif et un aspect négatif.

7. Qu'est-ce que les parents disent de la communication? Est-ce que Katerina et Sacha ont la même opinion ? Pourquoi ?

8. Pourquoi l'adolescence est-elle une période difficile?

J'observe!

Le verbe : PRENDRE, APPRENDRE, COMPRENDRE

Au présent:

	Prendre	Apprendre	Comprendre
Je	prend**s**	J'**ap**prends	Je **com**prends
Tu	prend**s**		
Il/elle/on	prend		
Nous	pre**n**ons		
Vous	pre**n**ez		
Ils/elles	pre**nn**ent		

À l'impératif:

Prends!
Prenons!
Prenez!

Au futur simple:

Je prendrai   J'**ap**prendrai…   Je **com**prendrai…
Tu prendras…

Au passé composé:

J'ai pris   J'ai **ap**pris…   J'ai **com**pris…
Tu as pris…

J'observe!

Les adjectifs réguliers et irréguliers

1. C'est le **jeune** ado.   Ce sont les **jeunes** ados.
   C'est la **jeune** ado.   Ce sont les **jeunes** ados.

2. Sacha est **actif**.   Sacha et Robert sont **actifs**.
   Katerina est **active**.   Katerina et Annie sont **actives**.

3. Son père est **sérieux**.   Ses parents sont **sérieux**.
   Sa mère est **sérieuse**.   Ses sœurs sont **sérieuses**.

4. Le CD est **cher**.   Les films au cinéma sont **chers**.
   La disquette est **chère**.   Les disquettes sont **chères**.

Les terminaisons des adjectifs réguliers et irréguliers

masc sing	masc plur	fém sing	fém plur
ouvert	ouvert**s**	ouvert**e**	ouvert**es**
ch**er**	ch**ers**	ch**ère**	ch**ères**
acti**f**	acti**fs**	acti**ve**	acti**ves**
séri**eux**	séri**eux**	séri**euse**	séri**euses**
canadi**en**	canadi**ens**	canadi**enne**	canadi**ennes**
compliqu**é**	compliqu**és**	compliqu**ée**	compliqu**ées**
jeune	jeune**s**	jeune	jeune**s**
génér**al**	génér**aux**	génér**ale**	génér**ales**
essenti**el**	essenti**els**	essenti**elle**	essenti**elles**

Attention!
Les exceptions !

masc sing	masc plur	fém sing	fém plur
blanc	blanc**s**	blanc**he**	blanc**hes**
favori	favori**s**	favori**te**	favori**tes**
gentil	gentil**s**	gentil**le**	gentil**les**
long	long**s**	long**ue**	long**ues**
tout	tou**s**	tout**e**	tout**es**

Les invariables !

cool   extra   sensass   super   sympa   bon marché

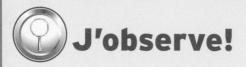 **J'observe!**

Ces adjectifs irréguliers ont deux formes au masculin

masc sing	cas spécial masc + voyelle	masc plur	fém sing	fém plur
ce copain	**cet** ami	**ces** amis	**cette** génération	**ces** générations
le **beau** copain	le **bel** ami	les **beaux** amis	la **belle** génération	les **belles** générations
le **nouveau** copain	le **nouvel** ami	les **nouveaux** amis	la **nouvelle** génération	les **nouvelles** générations
le **vieux** copain	le **vieil** ami	les **vieux** amis	la **vieille** génération	les **vieilles** générations

Je pratique...

Les adjectifs irréguliers

Mets la forme correcte de l'adjectif :

Exemple:
Tes parents ne sont pas ▭▭▭ ! (cool)
Tes parents ne sont pas **cool**!

1. Ce sont des idées ▭▭▭. (extra)

2. Les étudiants travaillent ▭▭▭ la semaine. (tout)

3. L'adolescence est une période ▭▭▭ de la vie. (super)

4. Sa maman est très ▭▭▭. (gentil)

5. Mes parents sont ▭▭▭, mais ils ne comprennent pas ma génération. (sympa)

6. C'est ma chanteuse ▭▭▭. (favori)

7. Les nouveaux CD sont vraiment ▭▭▭. (sensass)

8. Ces ▭▭▭ filles sont incomprises. (gentil)

9. L'adolescence semble trop ▭▭▭ aux ados. (long)

10. ▭▭▭ les adolescents discutent de leur bête noire. (tout)

Quelle journée!

Quand tu lis:
- regarde le titre
- regarde bien les illustrations
- observe les mots apparentés (comme en anglais)
- trouve les mots que tu connais
- utilise le Lexique
- Qu'est-ce que tu lis? Poème, article, lettre...

C'est un lundi matin typique. Il est déjà huit heures. Sacha et Katerina **se préparent** pour une nouvelle semaine de classes et **comme d'habitude**, ils **se parlent** au **cellulaire**.

Sacha :   Que fais-tu Katerina ?

Katerina :   Je **me dépêche** ! Je suis très **en retard** parce que **normalement** je **me lève** à sept heures, mais mon **réveil** ne **marche** pas!

Sacha :   Moi aussi, je **me réveille** à la même heure, mais heureusement, je n'ai pas besoin de réveil parce que j'entends mon père qui **se rase** dans la **salle de bain** à côté de ma **chambre**!

Katerina :   Et en plus, toi, tu ne **te maquilles** pas et tu **t'habilles** plus **rapidement** que **moi** !

Sacha :   Mais Katerina, **moi** j'ai une **sœur** qui **se lave** très **lentement** et qui **se brosse les dents** pendant dix minutes! Alors nous deux, **nous nous dépêchons** ce matin, n'est-ce pas?

Katerina :   Je **raccroche** maintenant Sacha, parce que je **me peigne** et je ne peux pas tenir le téléphone en même temps !

Sacha :   D'accord. Nous **nous rencontrerons** à l'**arrêt** d'autobus dans 5 minutes.

Katerina **se sent nerveuse**. Elle n'aime pas être **pressée**. Elle ne trouve pas ses devoirs, elle ne **se rappelle** plus où ils sont. Quelle catastrophe! Son prof va être **mécontent**. **Lui**, il **s'impatiente** facilement quand ses **étudiants** ne font pas leurs devoirs ou **s'endorment** en classe. La **vie** d'un ado est vraiment difficile !

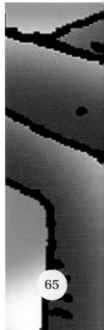

(!) Je comprends...

Réponds aux questions suivantes avec des phrases complètes:

1. Que font Sacha et Katerina ce matin? (2 activités)

2. Pourquoi Sacha n'a-t-il pas le même problème que Katerina?

3. Selon Katerina, pourquoi est-ce que les garçons se préparent plus rapidement que les filles?

4. Quel est le problème de Sacha? Pourquoi?

5. Où et quand les amis se rencontreront-ils?

6. Nomme les trois problèmes de Katerina ce matin.

7. Comment est le prof de Katerina? Donne un exemple.

8. Que penses-tu de la vie d'un ado?

> **Avant de répondre:**
> - lis la question
> - relis le texte
> - observe les mots interrogatifs (Qui? / Pourquoi? / Combien? / Comment?...)

 # J'observe!

Les pronoms accentués : MOI, TOI, LUI, ELLE, NOUS, VOUS, EUX, ELLES

1. **Moi**, <u>je</u> me dépêche chaque jour.

2. C'est **elle**, <u>la prof de français</u>.

3. <u>Je</u> me maquille chez **moi**.

4. **Nous**, <u>nous</u> nous rencontrons à l'arrêt d'autobus dans 5 minutes.

5. **Eux**, <u>ils</u> se parlent au cellulaire.

	je	tu	il	elle	nous	vous	ils	elles
Pronoms accentués	**moi**	**toi**	**lui**	**elle**	**nous**	**vous**	**eux**	**elles**

Les pronoms accentués se placent souvent:

1. devant **je**, **tu**, **il**, **elle**, **nous**, **vous**, **ils**, **elles**

2. après **c'est / ce sont**

3. après une préposition (**avec**, **sans**, **chez**, **pour**, **devant**, **derrière**, etc.)

Exemples:

i) **Toi**, tu ne te maquilles pas.

ii) **Lui**, il se rase.

iii) **Eux**, ils s'impatientent.

iv) **Nous**, nous nous lavons les mains.

v) Qui parle? C'est **moi**.

 Je pratique...

Les pronoms accentués : MOI, TOI, LUI, ELLE, NOUS, VOUS, EUX, ELLES

Complète avec le pronom accentué qui convient:

Exemple :

La sœur de Sacha? Il a beaucoup de problèmes avec ▮▮▮▮▮▮ .

La sœur de Sacha? Il a beaucoup de problèmes avec **elle**.

1. Mon père? Sans ▮▮▮▮▮▮ , je ne peux pas me réveiller.

2. Katerina? Sacha va l'attendre chez ▮▮▮▮▮▮ .

3. Où sont les amis? Katerina a besoin d'▮▮▮▮▮▮ .

4. Nous aimons arriver à l'heure. Pour ▮▮▮▮▮▮ , c'est très important!

5. Le prof est très sévère. Sacha ne veut pas discuter avec ▮▮▮▮▮▮ .

6. Ces deux amies sont dans toutes les mêmes classes. Pour ▮▮▮▮▮▮ , le cellulaire est essentiel.

7. Vas-tu chez ▮▮▮▮▮▮ après l'école? Non, je reste pour une pratique de basket-ball.

8. Ce grand garçon est devant ▮▮▮▮▮▮ et nous ne pouvons pas voir le tableau.

9. Jacques! Fais attention! Il y a quelque chose qui tombe derrière ▮▮▮▮▮▮ .

10. Ce sont nos voisins! Ils habitent à côté de chez ▮▮▮▮▮▮ .

J'observe!

Le présent des verbes réfléchis

se raser

Je	**me**	rase
Tu	**te**	rases
Il/elle/on	**se**	rase
Nous	**nous**	rasons
Vous	**vous**	rasez
Ils/elles	**se**	rasent

Attention:

Il **s'**impatiente

Attention:

Je **ne** me lève **pas**

Attention!

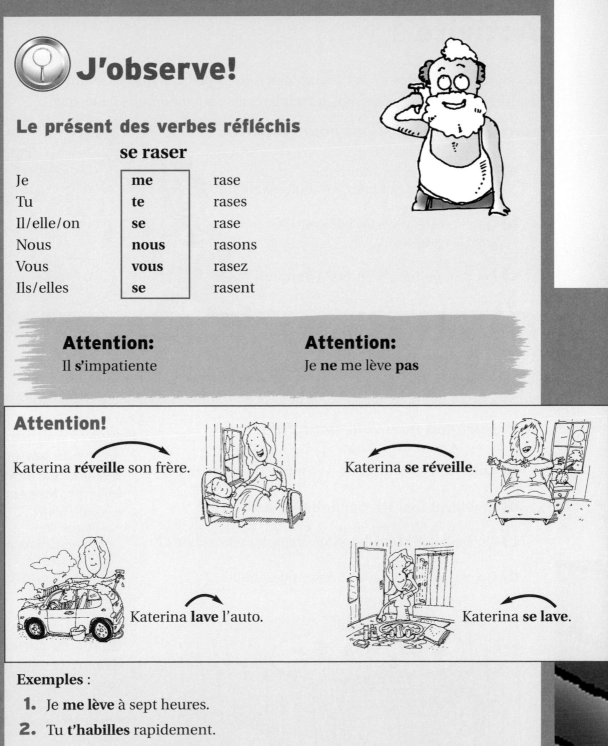

Katerina **réveille** son frère.

Katerina **se réveille**.

Katerina **lave** l'auto.

Katerina **se lave**.

Exemples :

1. Je **me lève** à sept heures.

2. Tu **t'habilles** rapidement.

3. Ma sœur **se lave** lentement.

4. Nous **nous rencontrons** à l'arrêt d'autobus dans 5 minutes.

5. Vous **ne vous rappelez pas** du numéro de téléphone.

6. Les profs **s'impatientent** quand les élèves sont en retard.

Activité 1

Les adolescents sont souvent aliénés parce qu'ils pensent que les adultes ne les comprennent pas. D'après moi, les adolescents sont incompris parce que…

Voici quelques questions pour t'aider:

a) Qu'est-ce que les adultes ne comprennent pas chez les adolescents ?

b) Quelles difficultés les ados ont-ils avec les adultes?

c) Peux-tu parler à tes profs? Pourquoi?

Activité 2

Les adolescents sont ou trop jeunes pour être adultes ou trop vieux pour être enfants. Selon moi, c'est une période difficile pour tous les adolescents parce que…

Voici quelques questions pour t'aider:

a) Comment les ados sont-ils comme des adultes ?

b) Comment sont-ils comme des enfants ?

c) Qu'est-ce que les adultes désirent des adolescents ?

d) Qu'est-ce que les ados désirent des adultes ?

Avant de parler devant tes amis, le/la professeur/e:
- écoute bien
- pratique les nouveaux mots à voix basse
- utilise le Lexique

Quand tu parles devant tes amis, ton/ta professeur/e:
- parle lentement et clairement
- mets l'intonation
- mets l'expression orale
- utilise des gestes

Activité 3

Utilise une des expressions suivantes:

« D'après moi… Selon moi… Je pense que… »

La communication ouverte est essentielle dans une famille d'aujourd'hui. Je pense que sans communication…

Voici quelques questions pour t'aider:

a) Qu'est-ce que la communication ouverte pour toi ?

b) Pourquoi la communication ouverte est-elle importante entre ados et adultes ?

c) Quand il n'y a pas de communication ouverte, qu'est-ce que tu fais?

Avant de parler devant tes amis, le/la professeur/e:
- écoute bien
- pratique les nouveaux mots à voix basse
- utilise le Lexique

Quand tu parles devant tes amis, ton/ta professeur/e:
- parle lentement et clairement
- mets l'intonation
- mets l'expression orale
- utilise des gestes

La tâche finale : (orale)

Avec un/e partenaire, préparez une conversation au cellulaire où vous discutez de votre semaine à l'école et de votre bête noire : les adultes.

Vous devez :
- écrire un brouillon et réviser votre écrit
- pratiquer votre prononciation
- pratiquer votre rôle dans le scénario
- faire attention à l'expression orale

(ton de voix, gestes, volume, intonation)

N'oubliez pas d'inclure :

a) au moins 8 adjectifs irréguliers

b) au moins 8 verbes réfléchis au présent

c) au moins 5 pronoms accentués

d) le nouveau vocabulaire

Soyez créatifs.

> **Avant de parler devant tes amis, le/la professeur/e:**
> - écoute bien
> - pratique les nouveaux mots à voix basse
> - utilise le Lexique

> **Quand tu parles devant tes amis, ton/ta professeur/e:**
> - parle lentement et clairement
> - mets l'intonation
> - mets l'expression orale
> - utilise des gestes

Noms masculins

français	anglais	mots de la même famille	synonymes / antonymes
l'ado	adolescent	l'adolescent(e) (adolescent) l'adolescence (adolescence)	**syn** l'adolescent **syn** un(e) jeune **ant** l'adulte
l'adulte	adult		**ant** la jeune personne
l'ami	friend	l'amie (friend) l'amitié (friendship)	**syn** le copain
l'argent de poche	allowance	l'argent (money)	
l'arrêt	stop	arrêter (to stop) s'arrêter (to stop oneself)	
le CD	CD		**syn** le disque compact
le cellulaire	cellular	la cellule(cell)	**syn** le portable
le copain	friend/buddy	la copine (friend)	**syn** l'ami(e)
l'étudiant	student	étudier (to study) les études (studies)	**syn** l'élève **ant** le prof
le matin	morning	la matinée (morning)	**syn** la matinée **ant** le soir
le réveil	alarm clock	réveiller (to wake) se réveiller (to wake up)	**syn** le réveil-matin

Lexique

ant = antonyme
syn = synonyme

Noms féminins

français	anglais	mots de la même famille	synonymes / antonymes
l'adolescence	adolescence	l'ado (adolescent)	
		l'adolescent(e) (adolescent)	
l'adolescente	adolescent	l'adolescence (adolescence)	**syn** l'ado
		l'adolescent (adolescent)	**syn** la jeune personne
la catastrophe	catastrophe	catastrophique (catastrophic)	**syn** la tragédie
la chambre	bedroom	la chambre à coucher (bedroom)	
la chanteuse	singer	chanter (to sing)	
		la chanson (song)	
la communication	communication	communiquer (to communicate)	
la dent	tooth	le dentifrice (toothpaste)	
		le dentiste (dentist)	
la difficulté	difficulty	difficile (difficult)	**syn** le problème
l'excuse	excuse	excuser (to excuse)	**syn** la raison
la famille	family	familier (familiar)	
la fin de semaine	weekend	la fin (end)	**syn** le week-end
		finir (to finish)	
la génération	generation	générer (to generate)	
l'idée	idea		
la journée	day	le jour (day)	**ant** la soirée
la salle de bain	bathroom	la salle (room)	**syn** les toilettes
la sœur	sister		**ant** le frère
la suggestion	suggestion	suggérer (to suggest)	**syn** le conseil
la vie	life	vivre (to live)	**ant** la mort

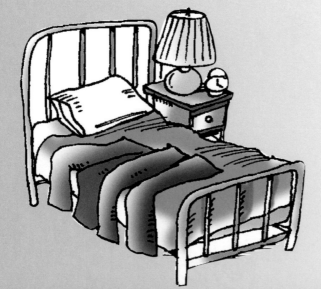

Lexique

ant = antonyme
syn = synonyme

Adjectifs

français	anglais	mots de la même famille	synonymes / antonymes
alién**é-e**	alienated	aliénation(alienation)	**syn** séparé(e)
b**on – ne**	good	le bonheur (happiness)	**ant** mauvais(e)
canadi**en–ne**	Canadian	le Canada (Canada)	
ce – cette	this		
ch**er-ère**	dear/expensive		**syn** coûteux(euse)
cool	cool		**syn** branché(e)
			ant démodé(e)
compliqu**é – e**	complicated	la complication (conflict)	**syn** difficile
		compliquer (to complicate)	**ant** facile
difficile	difficult	la difficulté (difficulty)	**syn** dur(e)
			ant facile
essenti**el-le**	necessary	l'essence (heart/essence)	**syn** nécessaire
			syn important(e)
favori **– te**	favourite	favoriser (to favour)	**syn** préféré(e)
			ant détesté(e)
incompris **– e**	misunderstood	comprendre (to understand)	**ant** compris(e)
		l'incompréhension	
		(misunderstanding)	
jeune	young	la jeunesse (youth)	**ant** vieux(vieille)
		la jeune personne (young person)	
mécontent **– e**	unhappy		**ant** content(e)
même	same		**ant** différent(e)
nerv**eux – euse**	nervous	la nervosité (nervousness)	**syn** anxieux(se)
			ant calme
noir **– e**	black		**ant** blanc(he)
nouv**eau – elle**	new	la nouveauté (novelty)	**syn** neuf(ve)
			ant vieux(vieille)
ouvert **– e**	open	ouvrir (to open)	**ant** fermé(e)
		l'ouverture (opening)	
press**é – e**	rushed	la pression (pressure)	
qu**el – le**	which		
satisfait**-e**	satisfied	la satisfaction(satisfaction)	**syn** content
séri**eux – se**	serious	sérieusement (seriously)	**syn** grave
			ant comique
spécial **– e**	special	spécialiser (to specialize)	**syn** unique
		la spécialité (specialty)	**ant** ordinaire
sympa	nice	sympathique (nice/pleasant)	**syn** agréable/gentil(le)
		sympatiser (to sympathise)	**ant** pénible/antipathique
tout **– e**	every/all		
typique	typical	typiquement (typically)	**ant** différent(e)
v**ieux – ieille**	old	la vieillesse (old age)	**ant** jeune

75

Lexique

ant = antonyme
syn = synonyme

Adverbes

français	anglais	mots de la même famille	synonymes / antonymes
absolument	absolutely	absolu(e) (absolute)	**syn** totalement
contre	against	la contradiction(contradiction)	**ant** pour
déjà	already		
d'habitude	usually	habituel(le) (usual)	**syn** normalement
		l'habitude (habit)	
facilement	easily	facile (easy)	**ant** difficilement
heureusement	luckily	heureux(se) (happy)	**ant** malheureusement
lentement	slowly	lent(e) (slow)	**ant** rapidement
			ant vite
maintenant	now		
normalement	normally	normal(e) (normal)	**syn** d'habitude/ habituellement
rapidement	quickly	rapide (fast)	**syn** vite
		la rapidité (speed)	**ant** lentement
rarement	rarely	rare (rare)	**ant** souvent/toujours
seulement	only	seul(e) (alone)	
trop	too much		**ant** peu
vraiment	really	vrai(e) (true)	
		la vérité (truth)	

Verbes

français	anglais	mots de la même famille	synonymes / antonymes
compliquer	to complicate	la complication (complication)	**ant** simplifier
		compliqué(e) (complicated)	
comprendre	to understand	la compréhension (understanding)	
		compris (understood)	
		incompris (misunderstood)	
connaître	to know someone	la connaissance (knowledge)	
		connu(e) (known)	
dire	to say		
discuter	to discuss	la discussion (discussion)	
marcher	to work/function		**syn** fonctionner
oublier	to forget		**ant** se rappeler
raccrocher	to hang up		**ant** décrocher
répéter	to repeat	la répétition(repetition)	
rigoler	to laugh		**ant** pleurer
rougir	to blush	rouge(red)	
se brosser	to brush one's...	brosser (to brush)	
se coucher	to go to bed	coucher (to put to bed)	**ant** se lever
se dépêcher	to rush/hurry		**syn** se presser

Lexique

ant = antonyme
syn = synonyme

Verbes

français	anglais	mots de la même famille	synonymes / antonymes
s'endormir	to fall asleep	dormir (to sleep)	**ant** se réveiller
s'habiller	to dress oneself	habiller (to dress)	
s'impatienter	to become impatient	impatient(e) (impatient) la patience (patience)	**ant** patienter
se laver	to wash oneself	laver (to wash)	
se lever	to get up	lever (to lift)	**ant** se coucher
se maquiller	to put on makeup	maquiller (to apply makeup) le maquillage (makeup)	
se parler	to speak to one another	la parole (word)	
se peigner	to comb one's hair	peigner (to comb) le peigne (comb)	
se préparer	to prepare one self	la préparation (preparation)	
se promettre	to promise one another	promettre (to promise) la promesse (promise)	
se rappeler	to remember	le rappel (reminder)	**ant** oublier
se raser	to shave	le rasoir (shaver)	
se rencontrer	to meet one another	rencontrer (to meet) la rencontre (the encounter)	
se réveiller	to wake up	réveiller (to wake) le réveil (alarm clock)	**ant** s'endormir
se sentir	to feel	sentir (to smell) le sentiment (feeling)	

Expressions

français	anglais	expansion
la bête noire	pet-peeve	
bien sûr	of course	
comme d'habitude	as usual, as always	**syn** habituellement
d'accord	OK	
de bonne heure	early	**syn** tôt
en retard	late	**ant** en avance
ne...jamais	never	**ant** toujours
n'est-ce pas?	right?	
pas seulement	not only	
Que la vie est compliquée!	boy, is life complicated	
Quelle catastrophe!	what a disaster	**syn** Quel désastre!
Quelle journée !	what a day!	
Qu'ils sont vieux jeu!	wow, are they out of it	

Ici :

Je communique...

- Des coutumes et des traditions
- Le multiculturalisme canadien

Je partage...

- Mes opinions sur les fêtes
- Mes connaissances: *le passé composé des verbes réguliers en **-er, -ir, -re** avec le verbe **avoir***

J'apprends et je comprends...

- À utiliser: *le passé composé des verbes irréguliers conjugués avec **avoir** le passé composé des verbes conjugués avec **être***
- Le nouveau vocabulaire de l'unité

Ma tâche finale...

- Je décris une fête que j'ai aimée
- Je la présente à la classe

Comment célèbres-tu le Nouvel An?

Aimes-tu célébrer les fêtes? Pourquoi?

Quelle est ta fête favorite? Pourquoi?

Célèbres-tu les fêtes avec ta famille ou avec des amis?

79

Coutumes et traditions

Quand tu lis:

- regarde le titre
- regarde bien les illustrations
- observe les mots apparentés (comme en anglais)
- trouve les mots que tu connais
- utilise le Lexique
- Qu'est-ce que tu lis? Poème, article, lettre...

Deux élèves de neuvième année parlent de leurs célébrations du **Nouvel An**. Zora Milevska vient de Macédonie et Zhi Li vient de Chine.

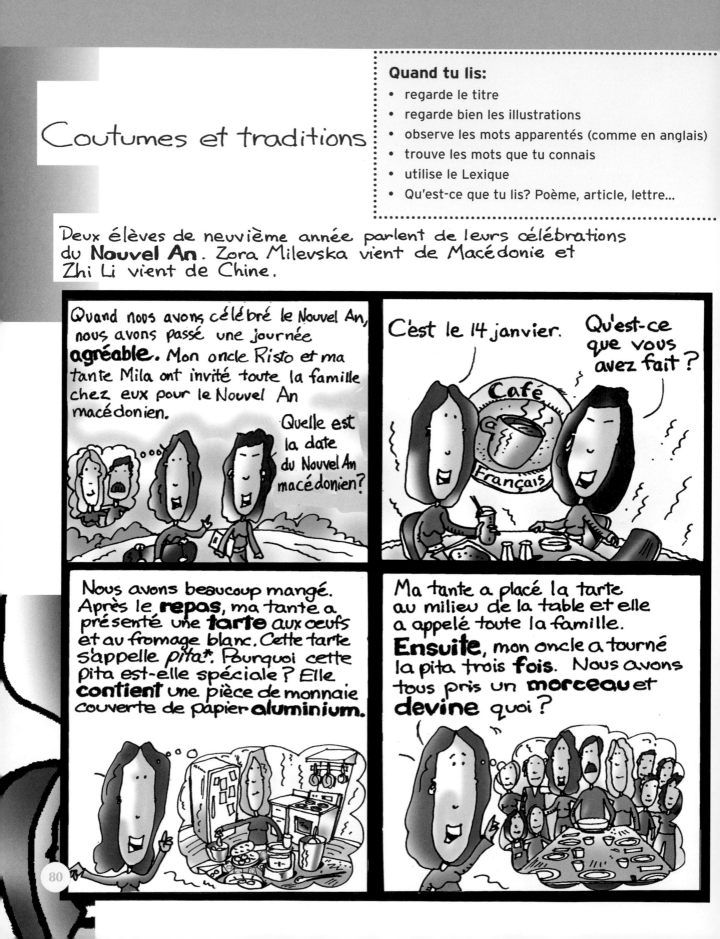

Quand nous avons célébré le Nouvel An, nous avons passé une journée **agréable**. Mon oncle Risto et ma tante Mila ont invité toute la famille chez eux pour le Nouvel An macédonien.

Quelle est la date du Nouvel An macédonien?

C'est le 14 janvier.

Qu'est-ce que vous avez fait?

Café Français

Nous avons beaucoup mangé. Après le **repas**, ma tante a présenté une **tarte** aux œufs et au fromage blanc. Cette tarte s'appelle *pita**. Pourquoi cette pita est-elle spéciale? Elle **contient** une pièce de monnaie couverte de papier **aluminium**.

Ma tante a placé la tarte au milieu de la table et elle a appelé toute la famille. **Ensuite**, mon oncle a tourné la pita trois **fois**. Nous avons tous pris un **morceau** et **devine** quoi?

!️ Je comprends...

Réponds aux questions suivantes avec des phrases complètes:

1. D'où viennent Zora et Zhi?

2. Pourquoi est-ce que le 14 janvier est une date importante pour Zora?

3. Qu'est-ce que la tante a mis dans la tarte aux œufs et au fromage?

4. Qu'est-ce que l'oncle a fait de la tarte?

5. Pourquoi Zora est-elle contente de trouver la pièce de monnaie?

6. Quelle est la coutume du Nouvel An chinois?

7. Pourquoi Zhi a-t-elle souhaité «Bonne Année» à beaucoup de personnes?

8. Comment célèbres-tu le Nouvel An?

> **Avant de répondre:**
> - lis la question
> - relis le texte
> - observe les mots interrogatifs (Qui? / Pourquoi? / Combien? / Comment?...)

 # J'observe!

Le passé composé des verbes irréguliers

1. J'**ai pris** un morceau de tarte.

2. Qu'est-ce que tu **as fait** hier?

3. Il **n**'a **pas** vu son cousin Pierre.

4. Zhi **a reçu** beaucoup d'argent.

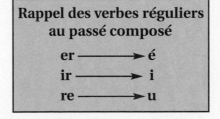

Rappel des verbes réguliers
au passé composé

er ⟶ é
ir ⟶ i
re ⟶ u

Passé composé		
avoir **au présent**	**+**	**le participe passé** **du verbe**

Expressions de temps pour indiquer le passé:
- hier, hier soir, hier matin
- l'année passée, la semaine passée, le mois passé
- l'année dernière, la semaine dernière
- il y a une heure/il y a deux jours/il y a une semaine/il y a un mois
- avant-hier

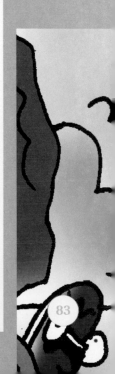

Le participe passé des verbes irréguliers

prendre	pris		être	été
comprendre	compris			
apprendre	appris		faire	fait
mettre	mis		dire	dit
admettre	admis		écrire	écrit
commettre	commis			
avoir	eu		ouvrir	ouvert
boire	bu		découvrir	découvert
courir	couru		souffrir	souffert
devoir	d**û**			
lire	lu			
pouvoir	pu			
recevoir	re**ç**u			
voir	vu			
vouloir	voulu			
savoir	su			

Attention!

Passé composé au négatif

ne/n' avoir **pas**   +   **le participe passé**
au présent   **du verbe**

Exemples

i) Ma tante **a fait** une pita macédonienne.

ii) Tu **as mis** la tarte sur la table.

iii) Ils n'**ont** pas **compris** la leçon.

Le passé composé des verbes irréguliers

Complète les phrases suivantes avec les verbes entre parenthèses au passé composé:

Exemple:

Il ▓▓▓▓▓▓ (recevoir) de l'argent.
Il a reçu de l'argent.

1. Tu ▓▓▓▓▓▓ (prendre) de la tarte hier?

2. Nous ▓▓▓▓▓▓ (comprendre) le problème.

3. J' ▓▓▓▓▓▓ (mettre) la pièce de monnaie dans mon sac.

4. Ils ▓▓▓▓▓▓ (pouvoir) voir leurs cousins.

5. Robert n' ▓▓▓▓▓▓ pas ▓▓▓▓▓▓ (être) malade il y a trois jours.

6. Il ▓▓▓▓▓▓ (lire) une bonne histoire.

7. Vous ▓▓▓▓▓▓ (voir) ce film?

8. Elle ▓▓▓▓▓▓ (faire) un grand repas.

9. Nous ▓▓▓▓▓▓ (dire) «Bonne Année» à nos amis.

10. Tu n' ▓▓▓▓▓▓ pas ▓▓▓▓▓▓ (devoir) faire tes devoirs?

Ode au Canada...

Quand tu lis:
- regarde le titre
- regarde bien les illustrations
- observe les mots apparentés (comme en anglais)
- trouve les mots que tu connais
- utilise le Lexique
- Qu'est-ce que tu lis? Poème, article, lettre...

Nous sommes nés ou venus dans un beau pays

Où toutes les races et tous les **peuples** sont amis.

À la **justice**, à l'**égalité** et à la **liberté** nous avons **souri**.

La **discrimination**, la **guerre** et l'**exploitation** sont **bannies**.

L'amour de la **paix** a toujours **guidé** notre vie

Et le **drapeau** blanc et rouge nous **a réunis**.

Pour célébrer ses anniversaires, le Canada est sorti

Avec ses **vêtements fabriqués** de toutes ses cultures **réunies**.

Avec fierté, **partout** dans le monde, nous sommes partis

Et sommes devenus les **messagers** de notre **patrie**.

Toutes les nations ont écouté et nous avons dit:

Regardez les **principes** que nous **avons suivis**.

Nous sommes nés ou venus dans un beau pays

Où toutes les races et tous les peuples sont amis.

87

! Je comprends...

Avant de répondre:

- lis la question
- relis le texte
- observe les mots interrogatifs (Qui? / Pourquoi? / Combien? / Comment?...)

Réponds aux questions suivantes avec des phrases complètes:

1. Comment est notre pays?

2. Dans le poème, nomme trois éléments qui nous font sourire.

3. Qu'est-ce qui est banni au Canada?

4. Qu'est-ce qui a guidé notre vie?

5. Comment est-ce que le Canada célèbre ses anniversaires?

6. Quelle qualité décrit les Canadiens?

7. Comment sommes-nous partis?

8. Quel est le message du poème?

J'observe!

Le passé composé avec l'auxiliaire : être

1. Nous **sommes nés** au Canada.

2. Ils ne **sont** pas **sortis** du Canada.

3. Il n'**est** pas **venu** ici hier.

4. Monique **est-elle partie** tôt?

ATTENTION!

Avec « être » le participe passé s'accorde avec le sujet:

Aller:
Je	**suis**	all**é(e)**
Tu	**es**	all**é(e)**
Il	**est**	all**é**
Elle	**est**	all**ée**
Nous	**sommes**	all**é(e)s**
Vous	**êtes**	all**é(e)(s)** ⟶ ***n'oublie pas le «vous» de politesse!***
Ils	**sont**	all**és**
Elles	**sont**	all**ées**

Exemples

i) Elle **est arrivée** à onze heures.

ii) Ils **sont restés** à la maison.

iii) Elles **sont venues** au Canada ensemble.

iv) Ses parents **sont montés** à sa chambre.

v) Marianne et Suzanne ne **sont** pas **revenues** de la soirée.

vi) N'êtes-vous pas **allée** à Montréal, Mme Lefèvre?

J'observe!

Le passé composé avec l'auxiliaire: être

1. M. Lefèvre n'**est** pas mont**é** à sa chambre.

2. Francine **est** arriv**ée** au club.

3. François et Robert **sont** tomb**és**.

4. Les amie̱s ne **sont** pas rentr**ée̱s** dans le salon.

Attention!

N'oublie pas l'accord avec le sujet pour
les verbes conjugués avec ÊTRE

Les verbes qui se conjuguent avec le verbe « être » au passé composé:

Verbes	Participe Passé
DEVENIR	**devenu**
REVENIR	**revenu**
MONTER	mont**é**
RESTER	rest**é**
SORTIR	sort**i**
VENIR	**venu**
ALLER	all**é**
NAÎTRE	**né**
DESCENDRE	descend**u**
ENTRER	entr**é**
RETOURNER	retourn**é**
TOMBER	tomb**é**
RENTRER	rentr**é**
ARRIVER	arriv**é**
MOURIR	**mort**
PARTIR	part**i**

 # Je pratique...

Le passé composé avec l'auxiliaire: être

Voici l'agenda de Micheline.
Mets son agenda au passé composé:

Exemple:

8h: partir pour l'école
À 8h, elle est partie pour l'école.

8h30:	arriver à l'école
9h:	entrer en classe
10h:	monter au troisième étage pour la classe de français
11h:	descendre au premier étage pour la classe d'anglais
12h:	sortir de l'école pour le déjeuner
13h:	retourner à l'école
15h30:	rester à l'école pour un projet
16h30:	rentrer à la maison

Activité 1

Avant de répondre:

- lis la question
- relis le texte
- observe les mots interrogatifs (Qui? / Pourquoi? / Combien? / Comment?...)

i) Quelle est ta fête préférée? Pourquoi?
Utilise une des expressions suivantes:
D'après moi, ... Selon moi ... À mon avis ...

ii) Interviewe un/une camarade sur une fête extraordinaire qu'il/elle a vue.

a) Où est-il/elle allé(e)?

b) Avec qui a-t-il/elle célébré?

c) Qu'est-ce qu'il/elle a fait?

d) Qui a-t-il/elle a rencontré d'intéressant?

e) Qu'est-ce qu'il/elle a mangé ?

f) A-t-il/elle dansé? Quelles danses?

Quand tu parles devant tes amis, ton/ta professeur/e:
- parle lentement et clairement
- mets l'intonation
- mets l'expression orale
- utilise des gestes

93

Activité 2

Compose 5 questions sur le Canada.
Pose ces questions à un copain/une copine
de ta classe. Prends des notes.

Avec 2 ou 3 amis, faites un sondage de ces réponses
et partagez avec la classe.

Exemple:

a) Que représente la feuille d'érable
pour toi?

b) Quelle est ta fête préférée
au Canada? Pourquoi?

c) …

d) …

e) …

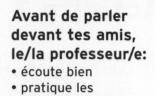

> **Avant de parler
> devant tes amis,
> le/la professeur/e:**
> • écoute bien
> • pratique les
>   nouveaux mots à
>   voix basse
> • utilise le Lexique

> **Quand tu parles devant tes
> amis, ton/ta professeur/e:**
> • parle lentement et clairement
> • mets l'intonation
> • mets l'expression orale
> • utilise des gestes

Activité 3

Écris un cinquain pour représenter le Canada. Tu as besoin de:

a) 1er vers: un nom

b) 2e vers: deux adjectifs

c) 3e vers: trois verbes

d) 4e vers: une phrase

e) 5e vers: un synonyme / répétition du premier vers

Quand tu écris:
- pour qui écris-tu?
- pourquoi écris-tu?
- quel est le sujet?
- utilise le texte original
- utilise le Lexique
- suis les instructions
- utilise les 3 Activités
- quel temps utilises-tu? (présent, passé, futur)
- corrige avec un partenaire
- vérifie les accents, le temps, les accords (féminin... pluriel...)

Exemple:

Mon pays

Grand, majestueux

Tolérer, apprécier, aimer

J'apprécie mon pays avec son drapeau blanc et rouge.

Le Canada

La tâche finale: (orale et écrite)

Tu as beaucoup aimé une fête. Décris cette fête pour le journal de ton école. Présente cette fête à ta classe.

Tu dois faire un brouillon et réviser ton écrit. Utilise le passé composé et le vocabulaire de l'unité. Pratique ta prononciation et ton expression orale (volume et ton de voix, gestes).

N'oublie pas d'inclure:

a) la date et le lieu de la fête

b) une photo de cette fête (si possible)

c) les activités

d) ce que tu as mangé

e) qui tu as rencontré

f) pourquoi tu as aimé cette fête

> ### Quand tu écris:
> • pour qui écris-tu?
> • pourquoi écris-tu?
> • quel est le sujet?
> • utilise le texte original
> • utilise le Lexique
> • suis les instructions
> • utilise les 3 Activités
> • quel temps utilises-tu?
>   (présent, passé, futur)
> • corrige avec un partenaire
> • vérifie les accents, le temps,
>   les accords (féminin... pluriel...)

Lexique

Noms masculins

français	anglais	mots de la même famille	synonymes / antonymes
l'adulte	adult		**ant** l'enfant
l'aluminium	aluminum		
l'an	year	l'année (year)	
l'argent	money		
le drapeau	flag		
le messager	messenger	le message (message)	
		la messagère (messenger)	
le morceau	piece	morceler (to cut into pieces)	**ant** l'entier
le papier	paper		
le peuple	people	peuplé(e) (populated)	
le principe	principle	principal(e) (principal)	
le repas	meal		
le vêtement	clothing item	vêtir (to clothe)	**syn** l'habit

Noms féminins

français	anglais	mots de la même famille	synonymes / antonymes
l'adulte	adult		**ant** l'enfant
la chance	luck	chanceux(euse) (lucky)	**ant** la malchance
la coutume	custom	accoutumé(e) (accustomed)	**syn** l'habitude
la discrimination	discrimination		**syn** le racisme/la ségrégation
l'égalité	equality	égal(e) (equal)	**ant** l'inégalité
l'exploitation	exploitation	exploiter (to exploit)	
la fierté	pride	fier(fière) (proud)	**ant** la honte
la fois	time		
la guerre	war	le guerrier (warrior)	**ant** la paix
la justice	justice	juste (fair)	
la liberté	liberty	libre (free)	
la messagère	messenger	le message (message)	
l'ode	ode/poem		
la paix	peace	paisible (peaceful)	**ant** la guerre
la patrie	homeland	patriote(patriotic)	
la race	race	racial(e) (racial)	
la tarte	pie/tart	la tartelette (small tart/pie)	
la tradition	tradition	traditionnel(le) (traditional)	

Lexique

ant = antonyme
syn = synonyme

Adjectifs

français	anglais	mots de la même famille	synonymes / antonymes
agréable	pleasant		**ant** désagréable
banni - **e**	banished		**ant** accepté(e)
fabriqu**é** - **e**	made	la fabrique (factory)	**syn** fait(e)
mari**é** - **e**	married	le mariage (marriage)	**ant** célibataire
n**é**-**e**	born	naître (to be born)	**ant** mort(e)
nouv**el** – **elle**	new	nouveau (elle) (new)	**ant** vieil/vieux(vieille)
réuni – **e**	united	la réunion (meeting)	**ant** séparé(e)
vrai - **e**	true	la vérité (truth)	**ant** faux

Adverbes

français	anglais	mots de la même famille	synonymes / antonymes
ensuite	then		**syn** puis
parfois	sometimes		**syn** quelquefois
partout	everywhere		**ant** nulle part

ant = antonyme
syn = synonyme

Verbes

français	anglais	mots de la même famille	synonymes / antonymes
contenir	to contain		**syn** avoir
deviner	to guess	la devinette (riddle)	
guider	to guide	le guide (guide)	**syn** orienter
naître	to be born	la maissance (birth)	**ant** mourir
réunir	to unite	la réunion (meeting)	**ant** désunir
recevoir	to receive	le reçu (receipt)	**syn** obtenir
souhaiter	to wish	le souhait (wish)	**syn** le désir
sourire	to smile	le sourire (smile)	
suivre	to follow	la suite (continuation)	**syn** adopter
varier	to vary	la variété (variety)	**syn** changer

Expressions

français	anglais	expansion
avec fierté	with pride	avec grande fierté
bien sûr	of course	naturellement
cela veut dire	that means	cela veut vraiment dire
de plus	moreover	en plus
le Nouvel An	New Year	
une pièce de monnaie	coin	

Mon avenir?

Ici :

Je communique...

- Le bénévolat
- Les choix de carrières

Je partage...

- Mon service communautaire
- Comment choisir une carrière
- Mes connaissances : *le présent des verbes réguliers et irréguliers, le présent des verbes réfléchis, le futur simple et le passé composé*

J'apprends et je comprends...

- À utiliser : *les pronoms relatifs : qui, que, qu' les pronoms : y, en les verbes suivis des prépositions: à, de*
- Le nouveau vocabulaire de l'unité

Ma tâche finale...

- J'écris une lettre de remerciement au directeur d'un camp d'été

Est-ce que tu fais des activités bénévoles?

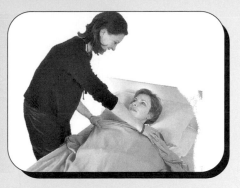

Où peux-tu faire du bénévolat dans ton quartier?

Quelle sorte de travail t'intéresse pour l'été ?

Est-ce que tu travailles maintenant?

Que puis-je offrir à ma communauté ?

Quand tu lis:
- regarde le titre
- regarde bien les illustrations
- observe les mots apparentés (comme en anglais)
- trouve les mots que tu connais
- utilise le Lexique
- Qu'est-ce que tu lis? Poème, article, lettre...

La directrice de l'**Orientation** d'une école secondaire **ontarienne** a organisé une **assemblée** pour discuter l'importance du **bénévolat** et les **heures obligatoires** de **service communautaire**. Voici une partie de la présentation de cette **conseillère**:

Bonjour **tout le monde**. Aujourd'hui je vous parle d'un sujet qui est très important et pour vous et pour votre communauté. Comme vous le savez, vous êtes obligés de compléter 40 heures de service communautaire pour recevoir votre **diplôme**. Est-ce beaucoup? **Pas du tout**. Combien d'heures passez-vous devant la télé chaque semaine?

Considérez ces 3 questions :
- Quelles sont les **compétences** que je peux offrir?
- Quelle activité bénévole sera la plus intéressante pour moi?
- Où est-ce que je veux faire du bénévolat?

Il y a beaucoup de gens dans notre **société** qui ont besoin d'**aide** et qui dépendent de nous. Nous pouvons tous avoir une bonne influence sur notre communauté. C'est notre **responsabilité** d'aider ces personnes qui ont moins d'opportunités que nous. Le **quartier** où nous habitons **offre** plusieurs possibilités de **faire du bénévolat**. Les heures que vous passerez comme **bénévoles** seront beaucoup appréciées.

Voici quelques **activités bénévoles** que vous pouvez choisir :
- servir le petit déjeuner dans les écoles primaires
- visiter des **personnes âgées**
- jouer avec des enfants handicapés ou malades
- participer à l'organisation des événements communautaires comme la course annuelle Terry Fox, une **collecte** de nourriture ou une collecte de vêtements chauds pour l'hiver

Vous recevrez beaucoup de **satisfaction** de ces quelques heures que vous offrirez et vous serez des **membres actifs** de votre communauté. Je vous souhaite **bon courage** !

Je comprends...

Réponds aux questions suivantes avec des phrases complètes :

Avant de répondre:

- lis la question
- relis le texte
- observe les mots interrogatifs (Qui?/Pourquoi?/ Combien?/ Comment?...)

1. Où sont les étudiants dans cette école?

2. Dans quel département de l'école la conseillère travaille-t-elle?

3. Quel est le sujet de cette présentation?

4. Pour recevoir leur diplôme en Ontario, qu'est-ce que les étudiants doivent faire?

5. Quand tu choisis une activité bénévole, qu'est-ce que tu considères?

6. Pourquoi le service communautaire est-il si important?

7. Nomme trois activités bénévoles que tu peux choisir dans ta communauté.

8. Tu ne gagnes pas d'argent quand tu fais du bénévolat, mais qu'est-ce que tu gagnes ?

 # J'observe!

Le verbe : OFFRIR

Au présent :

J'	offr**e**
Tu	offr**es**
Il/elle/on	offr**e**
Nous	offr**ons**
Vous	offr**ez**
Ils/elles	offr**ent**

À l'impératif :

Offre!
Offrons!
Offrez!

Au futur simple :

J'offrirai
Tu offriras…

Au passé composé

J'ai offert
Tu as offert…

Attention !

On conjugue offrir comme un verbe en ER

Je pratique...

Le verbe : OFFRIR

Choisis la forme correcte du verbe offrir.
Fais attention au temps du verbe.

Exemple:

Les parents ＿＿＿＿＿＿ de l'argent de poche à leurs enfants.

Les parents **offrent** de l'argent de poche à leurs enfants.

1. J' ＿＿＿＿＿＿ mes services à ma communauté demain.

2. ＿＿＿＿＿＿ ton aide à ta communauté !

3. Elle ＿＿＿＿＿＿ ＿＿＿＿＿＿ de visiter des personnes âgées hier.

4. Tu ＿＿＿＿＿＿ d'organiser un événement communautaire.

5. ＿＿＿＿＿＿ de l'argent pour la collecte si vous n'avez pas le temps d'acheter de la nourriture.

6. Demain, nous ＿＿＿＿＿＿ des conseils à tout le monde.

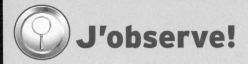 **J'observe!**

Les pronoms relatifs « qui » et « que »

(sujet)

1. La **directrice** a organisé une assemblée. La **directrice** est aussi une conseillère.

La directrice **qui** a organisé une assemblée est aussi une conseillère.

(sujet)

2. J'ai rencontré un **bénévole**. **Il** organise des événements communautaires.

J'ai rencontré un bénévole **qui** organise des événements communautaires.

(objet)

3. Nous habitons un beau **quartier**. Nous aimons beaucoup ce **quartier**.

Nous habitons un beau quartier **que** nous aimons beaucoup.

(objet)

4. Les **compétences** sont variées. Elle peut offrir ses **compétences**.

Les compétences **qu'**elle peut offrir sont variées.

qui *(sujet)*	**que / qu'** *(objet)* (devant une voyelle/«h» muet)
↓	↓
remplace un nom **sujet**	remplace un nom **objet**
suivi par un **verbe**	suivi par un **pronom sujet** (je, tu, il…)
	ou un **nom / nom propre** (la directrice…/ Mme Joubert…)

Exemples :

(sujet)

i) Voici **une élève**. **Cette élève** travaille bien en groupe.

Voici une élève **qui** travaille bien en groupe.

(sujet)

ii) Je vous parle du **bénévolat**. Le **bénévolat** est très important.

Je vous parle du bénévolat **qui** est très important.

(objet)

iii) Je dois choisir une **activité bénévole**. Je préfère cette **activité bénévole**.

Je dois choisir une activité bénévole **que** je préfère.

(objet)

iv) Le **diplôme** est de l'Ontario. Il reçoit ce **diplôme**.

Le diplôme **qu'**il reçoit est de l'Ontario.

 **Je pratique...**

Les pronoms relatifs : qui / que / qu'

Choisis le pronom relatif logique : qui / que / qu'

Exemple :
Tout le monde ▨▨▨▨▨▨ participe au bénévolat reçoit beaucoup de satisfaction.
Tout le monde **qui** participe au bénévolat reçoit beaucoup de satisfaction.

1. J'ai joué avec des enfants ▨▨▨▨▨▨ sont handicapés.

2. La course annuelle Terry Fox est un événement ▨▨▨▨▨▨ j'admire.

3. Les compétences ▨▨▨▨▨▨ nous pouvons offrir sont appréciées.

4. L'activité bénévole ▨▨▨▨▨▨ intéresse beaucoup de jeunes c'est de servir le petit déjeuner.

5. La collecte de vêtements chauds ▨▨▨▨▨▨ on organise à l'école a beaucoup de succès.

6. Les heures ▨▨▨▨▨▨ vous passez devant la télé n'aident personne.

7. Les personnes ▨▨▨▨▨▨ habitent ce quartier font du bénévolat.

8. Les responsabilités ▨▨▨▨▨▨ nous apprenons sont très importantes.

9. L'activité bénévole ▨▨▨▨▨▨ elles font est absolument nécessaire.

10. Les services ▨▨▨▨▨▨ les bénévoles offrent à cet organisme sont essentiels.

Comment choisir un emploi ?

Monitrice/moniteur du Camp Érables rouges

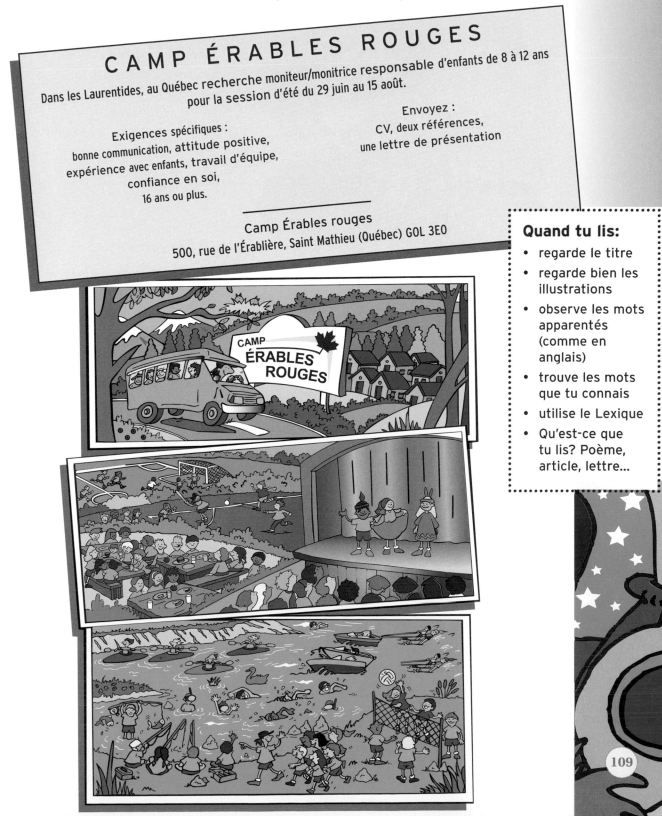

CAMP ÉRABLES ROUGES

Dans les Laurentides, au Québec recherche moniteur/monitrice responsable d'enfants de 8 à 12 ans
pour la session d'été du 29 juin au 15 août.

Exigences spécifiques :
bonne communication, attitude positive,
expérience avec enfants, travail d'équipe,
confiance en soi,
16 ans ou plus.

Envoyez :
CV, deux références,
une lettre de présentation

Camp Érables rouges
500, rue de l'Érablière, Saint Mathieu (Québec) G0L 3E0

Quand tu lis:

- regarde le titre
- regarde bien les illustrations
- observe les mots apparentés (comme en anglais)
- trouve les mots que tu connais
- utilise le Lexique
- Qu'est-ce que tu lis? Poème, article, lettre...

Quand tu lis:

- regarde le titre
- regarde bien les illustrations
- observe les mots apparentés (comme en anglais)
- trouve les mots que tu connais
- utilise le Lexique
- Qu'est-ce que tu lis? Poème, article, lettre...

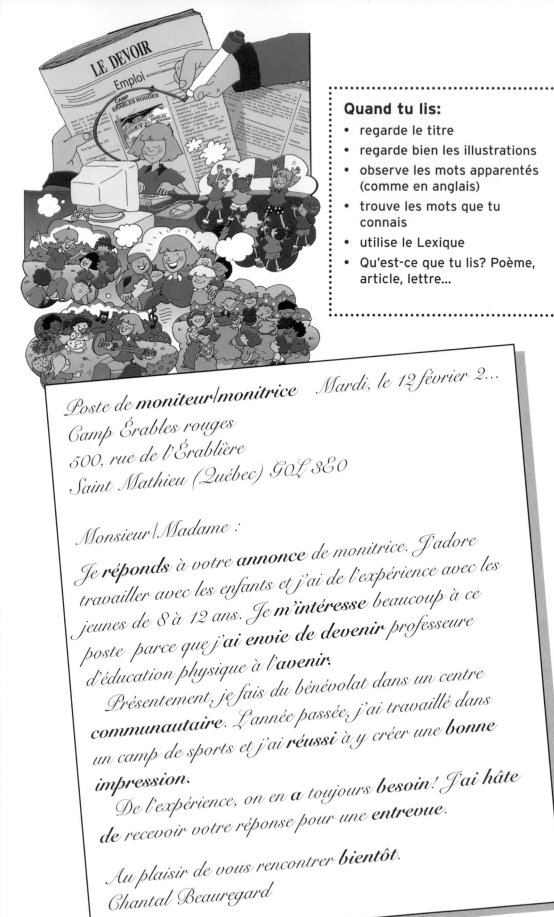

Poste de **moniteur/monitrice**   Mardi, le 12 février 2...

Camp Érables rouges
500, rue de l'Érablière
Saint Mathieu (Québec) G0L 3E0

Monsieur/Madame :

Je **réponds** à votre **annonce** de monitrice. J'adore travailler avec les enfants et j'ai de l'expérience avec les jeunes de 8 à 12 ans. Je **m'intéresse** beaucoup à ce poste parce que j'ai **envie de devenir** professeure d'éducation physique à l'**avenir**.

Présentement, je fais du bénévolat dans un centre **communautaire**. L'année passée, j'ai travaillé dans un camp de sports et j'ai **réussi** à y créer une **bonne impression**.

De l'expérience, on en a toujours **besoin**! J'ai hâte de recevoir votre réponse pour une **entrevue**.

Au plaisir de vous rencontrer **bientôt**.
Chantal Beauregard

 **Je comprends...**

Réponds aux questions suivantes avec des phrases complètes :

Avant de répondre:

- lis la question
- relis le texte
- observe les mots interrogatifs (Qui?/Pourquoi?/ Combien?/ Comment?...)

1. Comment Chantal sait-elle que ce poste existe?

2. Que fait un moniteur/une monitrice?

3. Qu'est-ce qu'on doit envoyer pour répondre à cette annonce? (3 choses)

4. Nomme 4 exigences pour obtenir le poste de moniteur/monitrice?

5. Pourquoi est-ce que ce poste intéresse Chantal?

6. Quels sont les plans de carrière de Chantal?

7. Quelle expérience a-t-elle déjà? (2 choses)

8. Qu'est-ce qu'elle désire obtenir rapidement?

 # J'observe!

Les verbes suivis des prépositions : à

1. Je pense **à** ce poste.

2. Elles assistent **au** *Camp Érables rouges*.

3. Chantal répond **à la** lettre.

4. Nous répondons **à l'**annonce.

5. Tu t'intéresses **au** camp d'été.

Attention!

à + le = **au**   à + les = **aux**

Attention!

assister **à**, s'intéresser **à**, parler **à**, penser **à**,
réfléchir **à**, répondre **à**, réussir **à**

 # J'observe!

Les verbes suivis des prépositions : de

1. J'ai décidé **de** travailler dans ce camp.

2. Tu as envie **du** poste.

3. Elles ont peur **de la** communication ouverte.

4. Vous avez besoin **de l'**annonce dans le journal.

5. Elle a hâte **de** recevoir la réponse.

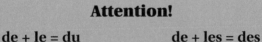

Attention!

de + le = du   de + les = des

Attention!

avoir besoin **de,** avoir envie **de**, avoir hâte **de,** avoir le temps **de,**
avoir peur **de,** décider **de,** essayer **de**

 # J'observe!

Le pronom : y

1. Je lis l'annonce **dans le journal**.
J'**y** lis l'annonce.

2. Nous penserons **à ce poste**.
Nous **y** penserons.

3. Vous avez répondu **aux lettres**.
Vous **y** avez répondu.

4. Tu ne veux pas aller **chez Chantal**.
Tu ne veux pas **y** aller.

Ces prépositions indiquent un **lieu (où?)**:

devant, derrière

sous, sur, dans, chez...

à côté de..., près de...

Y remplace ces prépositions + un nom

à, au, à la, à l', aux

suivis par: une *chose / un objet*

sont aussi remplacés par: y

y est placé *devant* le verbe

Attention!

On n'utilise pas le pronom *y* pour une personne.

Attention!

au présent et **au futur simple:**
- le pronom **y** est placé *devant* le verbe

au passé composé:
- le pronom **y** est placé *devant* avoir/être

avec un infinitif:
- le pronom **y** est placé *devant* l'infinitif

 # J'observe!

Le pronom: en

1. J'ai envie **de ce poste**.
J'**en** ai envie.

2. Vous avez peur **des entrevues**.
Vous **en** avez peur.

3. Elle a écrit **deux lettres de présentation**.
Elle **en** a écrit **deux**.

4. Elle aura besoin **d'une attitude positive**.
Elle **en** aura besoin.

5. Vas-tu avoir de la chance?
Vas-tu **en** avoir?

6. Le camp offre **cent postes** cet été.
Le camp **en** offre **cent** cet été.

On remplace   un…, une…, des…,
du…, de la…, de l'…, des…, de…, d'… par *en*
un, deux, trois, quatre…

en est placé *devant* le verbe

Attention!

Avec les numéros **un, deux, trois …** on garde les numéros **un, deux, trois …** intacts

Elle envoie **deux références**.   ⟶   Elle **en** envoie **deux**.

Attention!

au présent et **au futur simple:**
- le pronom **en** est placé *devant* le verbe

au passé composé:
- le pronom **en** est placé *devant* avoir/être

avec un infinitif:
- le pronom **en** est placé *devant* l'infinitif

 # Je pratique...

Les pronoms : y et en

Complète les phrases suivantes par : y / en

Exemple :

Elle a pensé **à ses expériences.**
Elle *y* a pensé.

Nous voulons **des lettres de présentation.**
Nous *en* voulons.

1. J'ai assisté **au *Camp Érables rouges*.**

2. Nous avons un **bon moniteur.**

3. Nous aurons besoin **de références.**

4. Avez-vous réfléchi **aux responsabilités**?

5. Tu veux réussir **à cette entrevue.**

6. Nous n'aurons pas peur **de ce travail d'équipe.**

7. Est-ce qu'elles ont répondu **à cette annonce**?

8. Vous faites **de l'observation.**

Activité 1

Quand tu parles devant tes amis, ton/ta professeur/e:
- parle lentement et clairement
- mets l'intonation
- mets l'expression orale
- utilise des gestes

Quelles sortes d'activités bénévoles t'intéressent?

- Je m'intéresse à …
- J'aime faire…
-
-

Le service communautaire doit-il être obligatoire à l'école secondaire?
Avec un/e partenaire, donnez vos opinions.

Voici un petit tableau pour vous aider à organiser vos idées.
Utilisez le vocabulaire de l'unité.

POUR	CONTRE

Quand tu écris:
- pour qui écris-tu?
- pourquoi écris-tu?
- quel est le sujet?
- utilise le texte original
- utilise le Lexique
- suis les instructions
- utilise les 3 Activités
- quel temps utilises-tu?
  (présent, passé, futur)
- corrige avec un partenaire
- vérifie les accents, le temps,
  les accords (féminin…
  pluriel…)

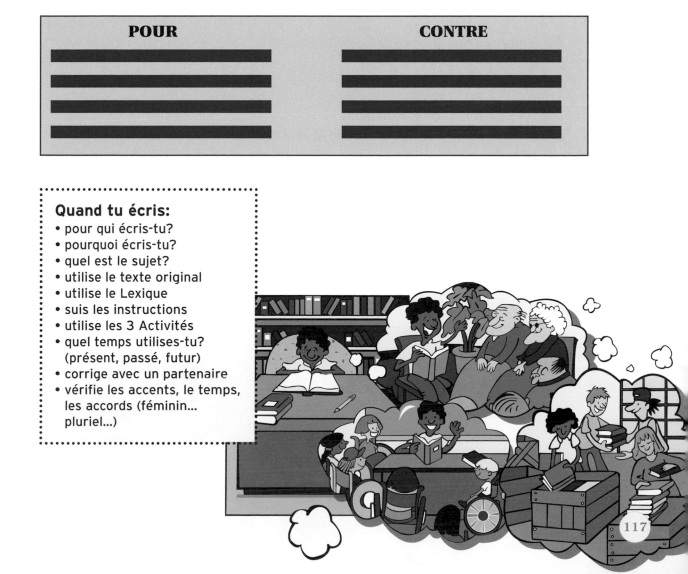

Activité 2

Avec un/e partenaire, préparez un sondage.
Interviewez au moins 3 camarades de classe au sujet
du **service communautaire**.
Posez 6 questions à vos camarades.

Exemple :

Interview

a) **Quel service communautaire trouves-tu intéressant?**

    i) *aider les personnes âgées*

    ii) *travailler dans un centre de jeunes personnes handicapées*

    iii) le service communautaire n'est pas intéressant

b) **Où est-ce que tu veux faire du bénévolat?**

    i)

    ii)

    iii)

c) ...

Sondage

- Quelles sont les préférences de vos amis? Pourquoi?

- Présentez de façon créative les résultats devant la classe.

Avant de parler devant tes amis, le/la professeur/e:
- écoute bien
- pratique les nouveaux mots à voix basse
- utilise le Lexique

Quand tu parles devant tes amis, ton/ta professeur/e:
- parle lentement et clairement
- mets l'intonation
- mets l'expression orale
- utilise des gestes

118

Activité 3

À la recherche d'un emploi.

Gardien / Gardienne

Famille de 2 enfants recherche une jeune personne responsable. Cette personne doit:

- aimer les jeunes enfants
- savoir bien nager
- avoir de l'expérience nécessaire

Pour juillet et août, 3 jours par semaine.

Serveur / Serveuse

Restaurant recherche un jeune employé pour sa chaîne de restaurants rapides. Ce jeune doit:

- savoir laver la vaisselle
- être prêt à apprendre
- pouvoir servir les clients

Les heures sont flexibles.

Supermarché local a besoin de trois adolescents. Ces jeunes doivent:

- être forts, aimables et responsables
- ouvrir de grandes caisses et remplir les étagères
- aider les clients

Salaire minimum. Aucune expérience nécessaire.

a) Quel emploi t'intéresse et pourquoi?

b) Quelles expériences sont nécessaires pour obtenir cet emploi?

c) Qu'est-ce que tu peux faire pour être un/e bon/ne candidat/e?

Avant de répondre:

- lis la question
- relis le texte
- observe les mots interrogatifs (Qui?/Pourquoi?/Combien?/Comment?...)

La tâche finale : (écrite)

Tu as un poste à un camp. Après l'entrevue, tu dois écrire une lettre pour remercier le directeur du camp. Utilise le format de la lettre de l'unité.

Tu dois écrire un brouillon et réviser ta lettre.

N'oublie pas d'inclure :

a) le vocabulaire de l'unité

b) ton expérience

c) ta confiance en toi

d) ton service communautaire

e) au moins 4 pronoms **y** / **en**

Quand tu écris:
- pour qui écris-tu?
- pourquoi écris-tu?
- quel est le sujet?
- utilise le texte original
- utilise le Lexique
- suis les instructions
- utilise les 3 Activités
- quel temps utilises-tu? (présent, passé, futur)
- corrige avec un partenaire
- vérifie les accents, le temps, les accords (féminin... pluriel...)

Lexique

Noms masculins

français	anglais	mots de la même famille	synonymes / antonymes
l'avenir	future	venir (to come)	**syn** le futur
			ant le passé
le bénévolat	volunteer work	le/la bénévole (volunteer)	
		bénévole (volunteer – adj.)	
le bénévole	volunteer	bénévolat (volunteer work)	
le centre	centre	central(e)	
le conseiller	counsellor	conseiller (to counsel)	
		la conseillère (counsellor)	
le CV	curriculum vitae/ résumé		
le diplôme	diploma	le diplômé (someone with diploma)	
l'emploi	job	employer (to employ)	**syn** le travail
		l'employé(e) (worker)	
le membre	member		
le moniteur	camp counsellor		
le poste	position	la position (position)	**syn** la position/le travail
le quartier	neighbourhood		**syn** le voisinage
le service	service	servir (to serve)	**syn** la contribution
le sondage	survey	sonder (to survey)	
le travail	work	travailler (to work)	**syn** l'emploi
			ant le chômage

Lexique

ant = antonyme
syn = synonyme

Noms féminins

français	anglais	mots de la même famille	synonymes / antonymes
l'activité	activity	l'action (action)	
l'aide	help	aider (to help)	syn l'assistance
l'annonce	ad	annoncer (to announce)	syn la publicité
l'assemblée	assembly	assembler (to gather)	
l'attitude	attitude		syn le comportement
la collecte	collection	collectionner (to collect)	ant la distribution
la communauté	community	communautaire (community)	
la compétence	skill	compétent(e)(competant)	syn le talent
			ant l'incompétence
la confiance	confidence	confier (to entrust)	
la conseillère	counsellor	conseiller (to counsel)	
l'entrevue	interview		syn l'interview
l'exigence	requirement	exiger (to require)	syn le critère
l'expérience	experience		syn l'inexpérience
l'heure	hour	horaire (schedule)	
l'impression	impression	impressionner (to impress)	
la lettre	letter		
la monitrice	camp counsellor		
l'observation	observation	observer (to observe)	
l'Orientation	guidance dep't.	orienter (to guide)	
la personne	person	personnalité (personality)	syn quelqu'un
la présentation	presentation	présenter (to present)	
la référence	reference	référer (to refer)	
la responsabilité	responsibility	responsable (responsible)	
la satisfaction	satisfaction	satisfaire (to satisfy)	syn le plaisir
		satisfait(e) (satisfied)	
la session	session	sessionnel(le) (in session)	syn la période
la société	society	social (social)	

Lexique

ant = antonyme
syn = synonyme

Adjectifs

français	anglais	mots de la même famille	synonymes / antonymes
actif – **ve**	active	l'activité (activity)	**ant** passif(ve)
âg**é** – **ée**	elderly	l'âge (age)	**syn** vieux(vieille)
		âger (to age)	**ant** jeune
bénévole	volunteer	le bénévolat (volunteer work)	
		le/la bénévole	
bo**n** – **ne**	good	la bonté (goodness)	**ant** mauvais(e)
communautaire	community	la communauté (community)	
obligatoire	mandatory	l'obligation (obligation)	**syn** nécessaire
		obliger (to oblige)	**ant** facultatif(ve)
ontari**en** – i**enne**	Ontarian	l'Ontario (Ontario)	
positi**f** – **ve**	positive	positivement (positively)	**ant** négatif(ve)
responsable	responsible	la responsabilité (responsibility)	**ant** irresponsable
rouge	red	rougir (to blush)	

Adverbes

français	anglais	mots de la même famille	synonymes / antonymes
bientôt	soon	tôt (soon)	**syn** tout à l'heure
			ant plus tard

Lexique

ant = antonyme
syn = synonyme

Verbes

français	anglais	mots de la même famille	synonymes / antonymes
assister (à)	to attend	l'assistance (aide)	**syn** voir
avoir besoin (de)	to need	le besoin (need)	
avoir envie (de)	to want	l'envie (desire)	**syn** vouloir / désirer
avoir hâte (de)	to be excited about/eager	la hâte (hurry)	**syn** être pressé(e) **ant** ralentir
chercher	to look for	rechercher (to search/look for)	
devenir	to become	venir (to come)	
envoyer	to send	l'envoi (shipment)	
faire	to do		
offrir	to offer	l'offre(offer) intéressant (interesting)	**ant** recevoir
rechercher	to look for/ research	la recherche (search/research) chercher (to look for)	
réfléchir (à)	to think/reflect	la réflexion (reflection)	**syn** penser (à)
répondre (à)	to answer	la réponse (answer)	
réussir (à)	to succeed	la réussite (success)	**ant** échouer (à)
s'intéresser (à)	to be interested in	l'intérêt (interest)	**ant** désintéresser

Lexique

Expressions

français	anglais	expansion
à la recherche de	in search of	à l'enquête de
bon courage!	good luck	bonne chance!
la confiance en soi	self confidence	l'estime en soi
faire du bénévolat	to do volunteer work	travailler sans être payé
la lettre de présentation	cover letter	
l'observation au poste de travail	job shadowing	
pas du tout	not at all	
les personnes âgées	the elderly	
le service communautaire	community service	
tout le monde	everyone / everybody	
le travail d'équipe	team work	**ant** le travail individuel

La palette de chez nous

Ici :

Je communique...

- Le monde de l'art canadien
- Les différents styles d'expression artistique

Je partage...

- Mes artistes préférés et ceux de mes amis
- Mes connaissances: *le passé composé des verbes réguliers en –er, –ir, –re avec le verbe avoir.*

J'apprends et je comprends...

- À utiliser: *les pronoms compléments d'objets directs et indirects*
  le, la, l', les, lui, leur
  ne…pas avec les verbes composés
  ne…pas dans des phrases simples utilisant les pronoms compléments
- Le nouveau vocabulaire de l'unité

Ma tâche finale...

- Je fais une affiche publicitaire pour une exposition de peinture
- Je la présente à la classe

As-tu déjà visité une exposition d'art?

Aimes-tu visiter des musées?

QUEL EST TON ARTISTE FAVORI?

Suis-tu un cours d'art visuel?

L'orignal original

Quand tu lis:
- regarde le titre
- regarde bien les illustrations
- observe les mots apparentés (comme en anglais)
- trouve les mots que tu connais
- utilise le Lexique
- Qu'est-ce que tu lis? Poème, article, lettre...

Pssst…par ici! Oui… c'est moi. Je suis la **toile.** Vous me regardez dans cette peinture. Savez-vous que j'ai une **âme**? Je **fais partie** du monde animal capturé pour **toujours.**

Je suis prisonnier de ce tableau mais je suis **libre** de penser et d'observer tout ce qui arrive autour de moi. Comment suis-je arrivé ici, presque **aussi grand que nature**? Laissez-moi vous raconter mon histoire:

L'artiste qui a **peint** ce tableau magnifique est une **animaliste**. Elle a pris des photos en automne dans la **forêt**. Elle y a passé des mois à observer les animaux. C'est toute une **passion** chez elle. Elle est patiente et son art l'aide à communiquer avec les animaux.

Elle **tourne même des films** parce qu'elle veut comprendre qui je suis. Elle dit à tous les **jeunes** artistes que je suis son animal préféré. Elle a eu le **coup de foudre** quand elle m'a vu la **première fois**.

Oui, je suis ce grand **orignal majestueux** que vous observez. Voici une occasion **formidable** de vous parler de sa méthode artistique. Pour commencer, cette artiste développe ses photos. Elle travaille et **retravaille** ses **dessins** avec patience pour les **perfectionner. Ensuite**, elle les peint dans son **atelier**. Elle adore faire de la peinture **animalière**. Elle découvre toujours de nouvelles choses. Moi, je le sais, j'ai passé des heures avec elle. J'ai même assisté à une **entrevue** où elle a dit: «C'est important de trouver le **bonheur** sans oublier les autres». Ce n'est pas **bête** comme **conseil,** n'est-ce pas? Dites-moi ce que vous en pensez! Êtes-vous déjà allé dans la nature? Avez-vous vu des animaux dans leur habitat naturel?

Eh! Ne partez pas, c'est moi qui parle…

Pssst…par ici! Oui… c'est moi. Je suis la toile. Vous me regardez dans cette peinture. Savez-vous que j'ai une âme? Je fais partie du monde animal capturé pour toujours…

Je comprends...

Réponds aux questions suivantes avec des phrases complètes:

1. Qui parle? Où est-il?

2. Que pense l'orignal de l'artiste?

3. Pourquoi l'artiste retravaille-t-elle ses dessins?

4. Où passe-t-elle son temps?

5. Pourquoi tourne-t-elle des films?

6. Que dit-elle aux jeunes artistes?

7. Quel est le message important de l'artiste?

8. Es-tu d'accord avec cette artiste ? Pourquoi?

Avant de répondre:
- lis la question
- relis le texte
- observe les mots interrogatifs (Qui? / Pourquoi? / Combien? / Comment?...)

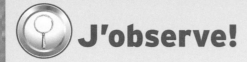 # J'observe!

Le verbe: PEINDRE

Au présent:

Je	peins
Tu	peins
Il/elle/on	peint
Nous	peignons
Vous	peignez
Ils/elles	peignent

À l'impératif:

Peins!
Peignons!
Peignez!

Au futur simple:

Je peindrai
Tu peindras…

Au passé composé:

J'ai peint
Tu as peint…

 # Je pratique...

Le verbe: PEINDRE

Choisis la forme correcte du verbe peindre:

Exemple:
Tu [_____] cette toile.
Tu peins cette toile.

1. Vous [_____] le portrait.

2. Nous [_____] demain.

3. [_____] ce chat !

4. Elles [_____] les saisons.

5. Je [_____] ce paysage ce soir.

6. [_____] ma maison cet été !

J'observe!

Les pronoms compléments d'objets directs (COD): le, la, l', les.

1. Le paysage reflète **le pays**.
   Le paysage **le** reflète.
   (Qu'est-ce que le paysage reflète?—le pays)

2. L'artiste cherchera **l'inspiration**.
   L'artiste **la** cherchera.
   (Qu'est-ce que l'artiste cherchera?—l'inspiration)

3. Ils n'étudient pas **les animaux**.
   Ils ne **les** étudient pas.
   (Qui est-ce qu'ils n'étudient pas?—les animaux)

4. Ils ne choisissent pas **la photographie**.
   Ils ne **la** choisissent pas.
   (Qu'est-ce qu'ils ne choisissent pas ?—la photographie)

---

		le pronom COD
1. **Les articles:**		**le**
le, la, l', les		
2. **Les adjectifs:**	*sont remplacés par*	**la**
mon, ma, mes, ton, ta, tes, son, sa, ses		**l'**
notre, nos, votre, vos, leur, leurs		**les**
ce, cet, cette, ces		

Attention!

- **L'objet direct répond à la question : qui?** (personne) / **quoi?** (objet)
- **Les pronoms objets directs le, la, l', les** remplacent l'objet direct
- **Les pronoms objets directs le, la, l', les** sont placés <u>devant</u> le verbe
- **Avec la négation, les pronoms objets directs le, la, l', les** sont placés **immédiatement devant le verbe, après** *ne*

Exemples:

i) Les peintres canadiens étudient **notre nature**.
   Les peintres canadiens **l'**étudient.

ii) Ils n'étudient pas **les orignaux**.
   Ils ne **les** étudient pas.

iii) Ils n'ont pas compris **cet artiste**
   Ils ne **l'**ont pas compris.

133

Je pratique...

Les pronoms compléments d'objets directs: le, la, l', les.

Complète les phrases suivantes par: le, la, l', les.

Exemple:
Ce tableau? Vous ______ achetez.
Ce tableau? Vous **l'**achetez.

1. Le dessin? — On ______ développe.
2. Ces orignaux? — Ils ______ étudient.
3. Notre mère? — Nous ______ admirons.
4. Cette tradition artistique? — Ils ______ créent.
5. Cette nature? — Nous ______ décrivons.
6. Ton exposition? — Je ______ adore.
7. Ces artistes? — On ______ aime.
8. Leur style? — Ils ______ imitent.
9. Les différents animaux? — Nous ______ regardons.
10. Cette photographie? — Vous ______ prenez.

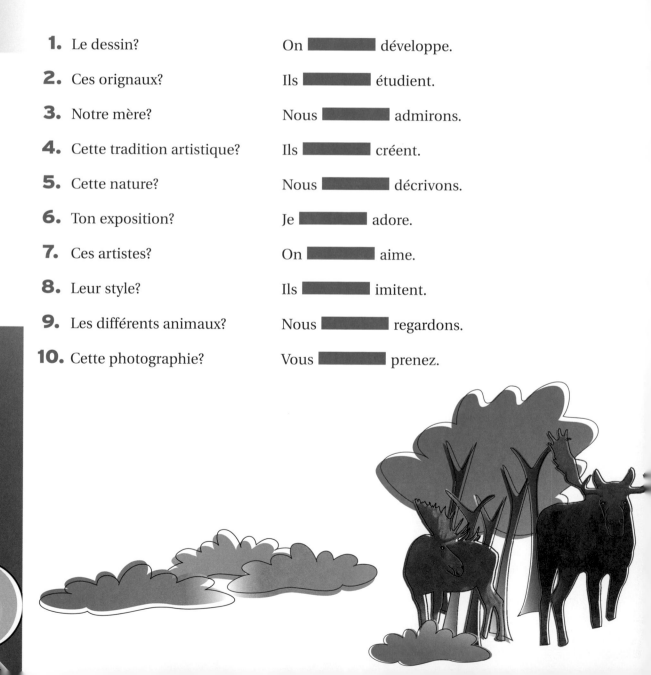

 # Je pratique...

Les pronoms compléments d'objets directs: le, la, l', les.

Complète les phrases suivantes par: le, la, l', les.

Exemple:
Je ne peins pas le paysage.
Je **l'**admire.

1. Tu ne vendras pas cette toile.

Tu ▮▮▮▮▮ achèteras.

2. Les filles ne cherchent pas le musée.

Les filles ▮▮▮▮▮ visitent.

3. Le public ne déteste pas la peinture animalière.

Le public ▮▮▮▮▮ adore.

4. Les étudiants ont étudié l'art visuel.

Les étudiants ▮▮▮▮▮ ont étudié.

La visite...

Quand tu lis:

- regarde le titre
- regarde bien les illustrations
- observe les mots apparentés (comme en anglais)
- trouve les mots que tu connais
- utilise le Lexique
- Qu'est-ce que tu lis? Poème, article, lettre...

Nathalie, Shiraz et Jordan ont pris le métro et sont **finalement** devant le **musée** d'art de Toronto. Ils achètent leur **billet d'entrée** et suivent les **flèches** qui les **mènent** à la **salle** centrale.

Ils trouvent beaucoup de genres de peintures. Il y a des **paysages**, des portraits, des animaux et même des **natures mortes**. Ils sont un peu perdus et ils parlent au **guide**:

Shiraz: Excusez-nous, **monsieur**, pouvez-vous nous aider? Nous cherchons les grands peintres canadiens. Pouvez-vous nous **diriger**?

Le guide: **Avec plaisir!** À votre **droite**, vous trouverez les **animalistes**, comme Glen Loates et Robert Bateman; à votre **gauche**, il y a les **portraitistes** comme Alex Colville, les **paysagistes** comme le Groupe des Sept et Emily Carr. Vous avez beaucoup de **choix**. Amusez-vous bien et je suis ici si vous **avez besoin** de moi.

Shiraz: Dis Nathalie, qui veux-tu voir **d'abord**?

Nathalie: Et bien, mes chers amis, j'ai un projet sur Emily Carr, pourquoi ne pas commencer par elle?

Jordan: Tu la **trouves** intéressante?

Nathalie: Oui, cette femme a fait des **œuvres** très modernes pour son **époque**. Je lui trouve un certain **piquant**. Ses peintures de **totems** l'ont rendue **unique** dans le **monde** de la peinture. Savez-vous qu'elle a été influencée par les **autochtones** de la Colombie Britannique? Elle a peint des forêts, des **orages** et beaucoup de totems. Ces totems représentent la culture typique de la région.

Jordan: **Incroyable!** Allons voir ses peintures. Je suis sûr que nous lui trouverons beaucoup de **charme aussi**.

Les **jeunes ados** ont passé toute **l'après-midi** dans le musée. Le guide leur a donné d'autres **renseignements utiles**. Il leur a beaucoup parlé d'Emily Carr. Nathalie pourra commencer son projet **avec confiance**.

! Je comprends...

Réponds aux questions suivantes avec des phrases complètes:

Avant de répondre:
- lis la question
- relis le texte
- observe les mots interrogatifs (Qui? / Pourquoi? / Combien? / Comment?...)

1. Où vont les trois amis?

2. Quels genres de peintres trouve-t-on dans ce musée?

3. Pourquoi Nathalie a-t-elle amené ses amis au musée?

4. Pourquoi Nathalie aime-t-elle Emily Carr?

5. Quels genres de peintures ont rendu Emily Carr unique?

6. Comment sais-tu qu'Emily Carr est une artiste canadienne?

7. Quels genres de peintures préfères-tu? Qui est ton peintre préféré?

8. Nomme deux musées que tu veux visiter. Pourquoi?

138

J'observe!

Les pronoms compléments d'objets indirects lui / leur

1. Les ados parlent **au professeur**. (**À qui** est-ce que les ados
Les ados **lui** parlent. parlent? — au professeur)

2. Ce guide expliquera les (**À qui** est-ce que le guide
peintures **à Nathalie**. expliquera les peintures?
Ce guide **lui** expliquera les — à Nathalie)
peintures.

3. Nous ne vendons pas ces (**À qui** est-ce que nous ne
totems **à la jeune fille**. vendons pas ces totems?
Nous ne **lui** vendons pas — à la jeune fille)
ces totems.

4. Les jeunes ont parlé **aux amis**. (**À qui** est-ce que les jeunes
Les jeunes **leur** ont parlé. ont parlé? — aux amis)

Les prépositions
  à / au / à la / à l' + le nom d'une personne au singulier = **lui**
Les prépositions
  à / aux   + le nom des personnes au pluriel   = **leur**

Attention!

Au présent et au futur simple:
  • les pronoms **lui/leur** sont placés *devant* le verbe
Au passé composé:
  • les pronoms **lui/leur** sont placés *devant* l'auxiliaire
Avec un infinitif:
  • les pronoms **lui/leur** sont placés *devant* l'infinitif

Exemples:

i) Le professeur a parlé **à l'étudiant**.
Le professeur **lui** a parlé.

ii) Elle va téléphoner **à ses copains**.
Elle va **leur** téléphoner.

iii) Donnerez-vous des idées **à Shiraz**?
Lui donnerez-vous des idées?

 # Je pratique...

Les pronoms compléments d'objets indirects
lui / leur

Complète les phrases suivantes par: lui / leur.

Exemple:
Cette femme? Vous ▮▮▮▮▮ parlez.
Cette femme ? Vous **lui** parlez.

1. Ce garçon?   On   ▮▮▮▮▮ téléphone.

2. Ces amis?   Je   ▮▮▮▮▮ parlerai.

3. Notre mère?   Nous   ▮▮▮▮▮ racontons notre journée.

4. Votre dentiste?   Vous   ▮▮▮▮▮ posez une question.

5. Cette professeure?   Tu   ▮▮▮▮▮ décris ton projet de peinture.

6. Ton frère?   Je   ▮▮▮▮▮ dis que je l'adore.

7. Ces artistes?   Nous   ▮▮▮▮▮ expliquons notre idée.

8. Les étudiants?   Elle   ▮▮▮▮▮ démontre son expérience de sciences.

9. Ces animaux?   Nous   ▮▮▮▮▮ donnerons à manger.

10. Ce guide?   Vous   ▮▮▮▮▮ posez beaucoup de questions.

11. Mes parents ?   Nous   ▮▮▮▮▮ écrirons une lettre.

12. Les astronautes ?   Jordan ne ▮▮▮▮▮ parlera pas.

Activité 1

a) Ton prof d'arts visuels te demande de peindre une scène canadienne.

Quelle scène choisis-tu ? Pourquoi ?

b) Avec un / deux amis, créez un dialogue et décrivez la scène.

Pourquoi est-elle intéressante?

N'oubliez pas d'inclure le nouveau vocabulaire.

Quand tu parles devant tes amis, ton/ta professeur/e:
- parle lentement et clairement
- mets l'intonation
- mets l'expression orale
- utilise des gestes

Activité 2

Utilise une des expressions suivantes quand tu présentes :

« D'après moi… Selon moi… À mon avis… »

Avec deux / trois amis, choisissez un(e) peintre animalier(ière) / un(e) portraitiste / un(e) paysagiste canadien(ne) que vous aimez :

Exemple :
Glen Loates, Alex Colville, Emily Carr, Franklin Carmichael…

Faites une recherche au centre de ressources et présentez-la à la classe :
Ce modèle aidera votre recherche.

a) Quel est son genre de peinture?

b) Où et quand est-il / est-elle né(e)?

c) Quelles sont les couleurs différentes qu'il / elle utilise?

d) Nommez quelques peintures que vous aimez? Pourquoi?

> **Quand tu parles devant tes amis, ton/ta professeur/e:**
> • parle lentement et clairement
> • mets l'intonation
> • mets l'expression orale
> • utilise des gestes

> **Avant de répondre:**
> • lis la question
> • relis le texte
> • observe les mots interrogatifs (Qui? / Pourquoi? / Combien? / Comment?...)

Activité 3

Avec un(e) ami(e), préparez une entrevue avec un(e) artiste canadien(ne) de votre choix.
Étudiez les sujets de discussion précédents pour vous aider. Formulez au moins 6 questions que vous poserez à votre artiste. N'oubliez pas les réponses.

Exemple :
a) Où et quand êtes-vous né(e)?

b) …

c) …

d) …

La tâche finale: (orale et écrite)

Fais une annonce publicitaire pour une exposition d'art d'un des artistes étudiés dans cette unité ou d'un autre artiste de ton choix que tu présenteras à ta classe.

Tu dois faire un brouillon et réviser ton écrit. Pratique ta prononciation et ton expression orale (volume et ton de voix, gestes, prononciation.)

N'oublie pas d'inclure:

a) la date, le lieu (place) et l'heure de l'exposition

b) une petite biographie de cette / cet artiste (voir sujet de discussion 2)

c) sa photo (si possible)

d) des critiques de son art (voir sujet de discussion 1, 2, 3)

e) un slogan publicitaire

Exemple:

Une exposition d'art superbe!
Ne manquez pas …
Une expérience inoubliable!

f) 10 mots du vocabulaire de cette unité

g) des phrases au futur simple et au passé composé (2 × 2)

h) des phrases avec des pronoms compléments directs et indirects (2 × 2)

i) Présente ton annonce à la classe

> **Quand tu écris:**
> • pour qui écris-tu?
> • pourquoi écris-tu?
> • quel est le sujet?
> • utilise le texte original
> • utilise le Lexique
> • suis les instructions
> • utilise les 3 Activités
> • quel temps utilises-tu? (présent, passé, futur)
> • corrige avec un partenaire
> • vérifie les accents, le temps, les accords (féminin... pluriel...)

Lexique

ant = antonyme
syn = synonyme

Noms masculins

français	anglais	mots de la même famille	synonymes / antonymes
l'animaliste	painter of animals	l'animal (animal)	
l'atelier	workshop/ artist studio		
le peintre animalier	painter of animals	l'animal (animal)	**syn** l'animaliste
l'artiste	artist	l'art (art), artistique (artistic)	**syn** le/la peintre
l'autochtone	first inhabitant	autochtone (adj.) (first inhabitant)	**syn** 1er habitant du Canada
le billet d'entrée	entrance ticket	entrer (to enter)	
le bonheur	happiness	heureux (happy)	**syn** le plaisir **ant** le malheur
le charme	charm	charmant(e) (charming)	**syn** l'enchantement
le choix	choice	choisir (to choose)	**syn** la sélection
le conseil	advice	conseiller (to advise)	**syn** la suggestion
le dessin	drawing	dessiner (to draw)	**syn** l'illustration
le guide	guide	guider (to guide)	
le monde	world	mondial(e) (international)	
monsieur	Mr./mister/sir	messieurs (misters)	**ant** madame
le musée d'art	art museum	le muséum (natural history)	**syn** ex. La galerie d'art de l'Ontario/ le Louvre (Paris)
l'orage	storm	orageux/euse (stormy)	**syn** la tempête **ant** le calme
l'orignal	moose	orignaux (moose plural)	
le paysage	landscape/ countryside	le pays (country)	
le paysagiste	landscape artist	le paysage (landscape)	
le portraitiste	portrait artist	le portrait (portrait)	
le renseignement	information	renseigner (to inform)	**syn** l'information
le totem	totem pole		

ant = antonyme
syn = synonyme

Noms féminins

français	anglais	mots de la même famille	synonymes / antonymes
l'âme	soul		
l'animaliste	painter of animals	l'animal (animal)	
la peintre animalière	painter of animals	l'animal (animal)	syn l'animaliste
l'après-midi	afternoon	midi (m.)(midday)	ant le matin / le soir
l'artiste	artist	l'art (art), artistique (artistic)	syn le/la peintre
l'attention	attention/ attentiveness	attendre (to wait for)	syn prendre garde
l'autochtone	first inhabitant/ aboriginal	autochtone(adj.) (first inhabitant)	syn 1er habitant du Canada/l'aborigène
la confiance	confidence	confiant(e) (adj.) (confident)	ant méfiance
la droite	right	droit(e) (adj.) (right)	ant la gauche
l'entrevue	interview		syn le rendez-vous
l'époque	era/time		syn le temps/la période
la flèche	arrow	la fléchette (small arrow)	
la forêt	forest	forestier/ère (forest like)	
la gauche	left	gaucher/ère (left handed)	ant la droite
la mère	mother	maman (mom)	ant le père
la nature morte	still life	la nature (nature), mort(e) (dead)/naturel(le) (natural)	
l'occasion	occasion	occasionnellement	syn l'opportunité
l'œuvre	(art) work	ouvrage (work)	syn la peinture
la passion	passion	passionné(e) (passionate)	syn l'amour ant la haine
la patience	patience	patienter (wait patiently)	ant l'impatience
la peinture	painting	le/la peintre (painter)	syn l'œuvre d'art
la paysagiste	landscape artist	le paysage (landscape)	
la photographie	photograph	photographier (to photograph)	syn la reproduction d'image
la portraitiste	portrait artist	le portrait (portrait)	
la salle	room	la salle centrale (main lobby)	syn la chambre
la toile	canvas		syn le tableau

Lexique

Adjectifs

français	anglais	mots de la même famille	synonymes / antonymes
ador**é** – **e**	adored/loved	adorer (to adore/love)	**ant** détesté(e) **syn** aimé(e)
animali**er** – **ère**	animal like	l'animal (animal)	
bête	stupid	la bêtise (stupidity)	
canadi**en** – **ne**	canadian	le/la Canadien/ne (Canadian person)	
central – **e**	central	le centre (centre)	
droit – **e**	right	la droite (the right)	**ant** gauche
formidable	outstanding	formidablement (outstandingly)	**syn** incroyable/ sensationnel(le) **ant** ordinaire/médiocre
gauche	left	la gauche (the left)	**ant** droit/e
jeune	young	la jeunesse (youth)	**syn** ado/adolescent **ant** vieux/vieille
incroyable	incredible	incroyablement (incredibly)	**syn** formidable **ant** ordinaire/médiocre
intéressant – **e**	interesting	intéresser (to interest)	**syn** avantageux(euse)
libre	free	la liberté (freedom)	
majestu**eux** – **euse**	majestic	majesté	**syn** imposant
mort – **e**	dead	mourir (to die)	**ant** vivant(e)
piquant – **e**	biting	piquer (to prick)	
préfér**é** – **e**	favourite	préférer (to prefer)	**syn** favori(te)
premi**er-ère**	first	premièrement (firstly)	**ant** dernier(ère)
unique	unique	uniquement (only)	**ant** ordinaire
utile	useful	utiliser (to use)	**ant** inutile

Lexique

ant = antonyme
syn = synonyme

Adverbes

français	anglais	mots de la même famille	synonymes / antonymes
aussi	also		
d'abord	firstly		syn premièrement
			ant dernièrement
ensuite	then		
finalement	finally	la fin (the end)	syn enfin
			ant premièrement
même	even/same		
toujours	always		ant jamais

Verbes

français	anglais	mots de la même famille	synonymes / antonymes
diriger	to direct	la direction (direction)	syn montrer
mener	to lead	amener (to bring)	syn apporter
offrir	to offer	l'offre (the offer)	syn donner
peindre	to paint	la peinture (painting)	syn peinturer
perfectionner	to perfect	la perfection (perfection)	
retravailler	to re-work/ re-shape	le travail (work), travailler (to work)	
trouver	to find		ant perdre

Expressions

français	anglais	expansion
aussi	also	
aussi grand que nature	as large as life	
avec confiance	with confidence	
avec plaisir	with pleasure	c'est un plaisir
avoir besoin de/d'…	to need…	
le coup de foudre	love at first sight/ head over heels for…	
d'abord	first/firstly	premièrement
faire partie	to be part of/to belong	appartenir
tourner des films	to produce movies	

Stratégies

Avant de parler devant tes amis, le/la professeur(e):
- écoute bien
- pratique les nouveaux mots à voix basse
- utilise le Lexique

Quand tu parles devant tes amis, ton/ta professeur(e):
- parle lentement et clairement
- mets l'intonation
- mets l'expression orale
- utilise des gestes

Quand tu lis:
- regarde le titre
- regarde bien les illustrations
- observe les mots apparentés (comme en anglais)
- trouve les mots que tu connais
- utilise le Lexique
- Qu'est-ce que tu lis? Poème, article, lettre...

Avant de répondre:
- lis la question
- relis le texte
- observe les mots interrogatifs (Qui? / Pourquoi? / Combien? / Comment?...)

Quand tu écris:
- pour qui écris-tu?
- Pourquoi écris-tu?
- quel est le sujet?
- utilise le texte original
- utilise le Lexique
- suis les instructions
- utilise les 3 Activités
- quel temps utilises-tu? (présent, passé, futur)
- corrige avec un partenaire
- vérifie les accents, le temps, les accords (féminin... pluriel...)

Tableaux de conjugaisons

-er, parler	-ir, finir	-re, vendre

présent

je parle	je finis	je vends
tu parles	tu finis	tu vends
il, elle, on parle	il, elle, on finit	il, elle, on vend
nous parlons	nous finissons	nous vendons
vous parlez	vous finissez	vous vendez
ils, elles parlent	ils, elles finissent	ils, elles vendent

impératif

parle	finis	vends
parlons	finissons	vendons
parlez	finissez	vendez

passé composé

j'ai parlé	j'ai fini	j'ai vendu
tu as parlé	tu as fini	tu as vendu
il, elle, on a parlé	il, elle, on a fini	il, elle, on a vendu
nous avons parlé	nous avons fini	nous avons vendu
vous avez parlé	vous avez fini	vous avez vendu
ils, elles ont parlé	ils, elles ont fini	ils, elles ont vendu

futur simple

je parlerai	je finirai	je vendrai
tu parleras	tu finiras	tu vendras
il, elle, on parlera	il, elle, on finira	il, elle, on vendra
nous parlerons	nous finirons	nous vendrons
vous parlerez	vous finirez	vous vendrez
ils, elles parleront	ils, elles finiront	ils, elles vendront

acheter	aller	avoir
présent	**présent**	**présent**
j'achète	je vais	j'ai
tu achètes	tu vas	tu as
il, elle, on achète	il, elle, on va	il, elle, on a
nous achetons	nous allons	nous avons
vous achetez	vous allez	vous avez
ils, elles achètent	lls, elles vont	ils, elles ont
impératif	**impératif**	**impératif**
achète	va	aie
achetons	allons	ayons
achetez	allez	ayez
passé composé	**passé composé**	**passé composé**
j'ai acheté	je suis allé(e)	j'ai eu
tu as acheté	tu es allé(e)	tu as eu
il, elle, on a acheté	il, elle, on est allé(e)	il, elle, on a eu
nous avons acheté	nous sommes allé(e)s	nous avons eu
vous avez acheté	vous êtes allé(e)(s)	vous avez eu
ils, elles ont acheté	ils, elles sont allé(e)s	ils, elles ont eu
futur simple	**futur simple**	**futur simple**
j'achèterai	j'irai	j'aurai
tu achèteras	tu iras	tu auras
il, elle, on achètera	il, elle, on ira	il, elle, on aura
nous achèterons	nous irons	nous aurons
vous achèterez	vous irez	vous aurez
ils, elles achèteront	ils, elles iront	ils, elles auront

connaître	devoir	dire

présent

je connais

tu connais

il, elle, on connaît

nous connaissons

vous connaissez

ils, elles connaissent

impératif

connais

connaissons

connaissez

passé composé

j'ai connu

tu as connu

il, elle, on a connu

nous avons connu

vous avez connu

ils, elles ont connu

futur simple

je connaitrai

tu connaitras

il, elle, on connaitra

nous connaitrons

vous connaitrez

ils, elles connaitront

présent

je dois

tu dois

il, elle, on doit

nous devons

vous devez

ils, elles doivent

impératif

passé composé

j'ai dû

tu as dû

il, elle, on a dû

nous avons dû

vous avez dû

ils, elles ont dû

futur simple

je devrai

tu devras

il, elle, on devra

nous devrons

vous devrez

ils, elles devront

présent

je dis

tu dis

il, elle, on dit

nous disons

vous dites

ils, elles disent

impératif

dis

disons

dites

passé composé

j'ai dit

tu as dit

il, elle, on a dit

nous avons dit

vous avez dit

ils, elles ont dit

futur simple

je dirai

tu diras

il, elle, on dira

nous dirons

vous direz

ils, elles diront

écrire	être	faire
présent	**présent**	**présent**
j'écris	je suis	je fais
tu écris	tu es	tu fais
il, elle, on écrit	il, elle, on est	il, elle, on fait
nous écrivons	nous sommes	nous faisons
vous écrivez	vous êtes	vous faites
ils, elles écrivent	ils, elles sont	ils, elles font
impératif	**impératif**	**impératif**
écris	sois	fais
écrivons	soyons	faisons
écrivez	soyez	faites
passé composé	**passé composé**	**passé composé**
j'ai écrit	j'ai été	j'ai fait
tu as écrit	tu as été	tu as fait
il, elle, on a écrit	il, elle, on a été	il, elle, on a fait
nous avons écrit	nous avons été	nous avons fait
vous avez écrit	vous avez été	vous avez fait
ils, elles ont écrit	ils, elles ont été	ils, elles ont fait
futur simple	**futur simple**	**futur simple**
j'écrirai	je serai	je ferai
tu écriras	tu seras	tu feras
il, elle, on écrira	il, elle, on sera	il, elle, on fera
nous écrirons	nous serons	nous ferons
vous écrirez	vous serez	vous ferez
ils, elles écriront	ils, elles seront	ils, elles feront

lire	mettre	partir

présent

lire	mettre	partir
je lis	je mets	je pars
tu lis	tu mets	tu pars
il, elle, on lit	il, elle, on met	il, elle, on part
nous lisons	nous mettons	nous partons
vous lisez	vous mettez	vous partez
ils, elles lisent	ils, elles mettent	ils, elles partent

impératif

lire	mettre	partir
lis	mets	pars
lisons	mettons	partons
lisez	mettez	partez

passé composé

lire	mettre	partir
j'ai lu	j'ai mis	je suis parti(e)
tu as lu	tu as mis	tu es parti(e)
il, elle, on a lu	il, elle, on a mis	il, elle, on est parti(e)
nous avons lu	nous avons mis	nous sommes parti(e)s
vous avez lu	vous avez mis	vous êtes parti(e)(s)
ils, elles ont lu	ils, elles ont mis	ils, elles, sont parti(e)s

futur simple

lire	mettre	partir
je lirai	je mettrai	je partirai
tu liras	tu mettras	tu partiras
il, elle, on lira	il, elle, on mettra	il, elle, on partira
nous lirons	nous mettrons	nous partirons
vous lirez	vous mettrez	vous partirez
ils, elles liront	ils, elles mettront	ils, elles partiront

pouvoir	prendre	sortir
présent	**présent**	**présent**
je peux	je prends	je sors
tu peux	tu prends	tu sors
il, elle, on peut	il, elle, on prend	il, elle, on sort
nous pouvons	nous prenons	nous sortons
vous pouvez	vous prenez	vous sortez
ils, elles peuvent	ils, elles prennent	ils, elles sortent
impératif	**impératif**	**impératif**
	prends	sors
	prenons	sortons
	prenez	sortez
passé composé	**passé composé**	**passé composé**
j'ai pu	j'ai pris	je suis sorti(e)
tu as pu	tu as pris	tu es sorti(e)
il, elle, on a pu	il, elle, on a pris	il, elle, on est sorti(e)
nous avons pu	nous avons pris	nous sommes sorti(e)s
vous avez pu	vous avez pris	vous êtes sorti(e)(s)
ils, elles ont pu	ils, elles ont pris	ils, elles sont sorti(e)s
futur simple	**futur simple**	**futur simple**
je pourrai	je prendrai	je sortirai
tu pourras	tu prendras	tu sortiras
il, elle, on pourra	il, elle, on prendra	il, elle, on sortira
nous pourrons	nous prendrons	nous sortirons
vous pourrez	vous prendrez	vous sortirez
ils, elles pourront	ils, elles prendront	ils, elles sortiront

venir	voir	vouloir
présent	**présent**	**présent**
je viens	je vois	je veux
tu viens	tu vois	tu veux
il, elle, on vient	il, elle, on voit	il, elle, on veut
nous venons	nous voyons	nous voulons
vous venez	vous voyez	vous voulez
ils, elles viennent	ils, elles voient	ils, elles veulent
impératif	**impératif**	**impératif**
viens	vois	veuille
venons	voyons	veuillons
venez	voyez	veuillez
passé composé	**passé composé**	**passé composé**
je suis venu(e)	j'ai vu	j'ai voulu
tu es venu(e)	tu as vu	tu as voulu
il, elle, on est venu(e)	il, elle, on a vu	il, elle, on a voulu
nous sommes venu(e)s	nous avons vu	nous avons voulu
vous êtes venu(e)(s) -	vous avez vu	vous avez voulu
ils, elles sont venu(e)s	ils, elles ont vu	ils, elles ont voulu
futur simple	**futur simple**	**futur simple**
je viendrai	je verrai	je voudrai
tu viendras	tu verras	tu voudras
il, elle, on viendra	il, elle, on verra	il, elle, on voudra
nous viendrons	nous verrons	nous voudrons
vous viendrez	vous verrez	vous voudrez
ils, elles viendront	ils, elles verront	ils, elles voudront

Lexique général

français – anglais

a

à cause de (expr.)	because of
à gauche (expr.)	to the left
à la recherche de (expr.)	in search of / about
à plus tard (expr.)	see you later
absolument (adv.)	absolutely
accent (n.m.)	accent
actif (ve) (adj.)	active
activité (n.f.)	activity
ado (n.m.)	adolescent/teenager
adolescence (n.f.)	adolescence
adolescent(e) (n.m./n.f.)	adolescent
adoré(e) (adj.)	adored/loved
adulte (n.m./n.f.)	adult
aéroport (n.m.)	airport
âgé(e) (adj.)	elderly
agent-détective (n.m.)	detective agent
agréable (adj.)	pleasant
aide (n.f.)	help
aile (n.f.)	wing
ainsi que (expr.)	just as
aliéné(e) (adj.)	alienated
aller (v.)	to go
aluminium (n.m.)	aluminum
âme (n.f.)	soul
ami (n.m.)	friend
amie (n.f.)	friend
an (n.m.)	year
animalier(ère) (adj.)	animal like
animaliste (n.m./n.f.)	(painter) of animals
animé(e) (adj.)	lively
annonce (n.f.)	ad
apporter (v.)	to bring
après-midi (n.m./n.f.)	afternoon
argent de poche (n.m.)	allowance
argent (n.m.)	money
arrêt (n.m.)	stop
arrivée (n.f.)	arrival
artiste (n.m.)	artist
assemblée (n.f.)	assembly
assister (v.)	to attend
atelier (n.m.)	workshop
attention (n.f.)	attention/attentiveness
atterrir (v.)	to land
attitude (n.f.)	attitude
aubaine (n.f.)	deal
aussi grand que nature (expr.)	as large as life
aussi (adv.)	also
autochtone (n.m./n.f.)	first inhabitant/aboriginal

avec confiance (expr.)	with confidence
avec fierté (expr.)	with pride
avec plaisir (expr.)	with pleasure
avenir (n.m.)	future
avoir (v.)	to have
avoir besoin (de) (expr.)	to need
avoir hâte (de) (expr.)	to be excited about/ to be eager/to want

b

balade (n.f.)	walk
banni (e) (adj.)	banished
barbe à papa (expr.)	cotton candy
beau, bel, belle (adj.)	beautiful
bénévolat (n.m.)	volunteer work
bénévole (n.m.)	volunteer
bête (adj.)	stupid
bête noire (expr.)	pet-peeve
bien sûr (expr.)	of course
bien (adv.)	well
bien entendu (expr.)	of course
bientôt (adv.)	soon
billet d'entrée (n.m.)	entrance ticket
blouson (n.m.)	jacket
bon(ne) (adj.)	good
bon courage! (expr.)	good luck
bon vivant (expr.)	jovial
bonheur (n.m.)	happiness
brancher (v.)	to connect/to get on line
bras (n.m.)	arm
bruyant(e) (adj.)	noisy

c

c'est chouette (expr.)	it's cool
canadien(ne) (adj.)	canadian
canal (n.m.)	channel
canton (n.m.)	district
caractéristique (n.m.)	characteristic
carrure (n.f.)	build
catastrophe (n.f.)	catastrophe
CD (n.m.)	CD
ce/cette (adj.)	this
célibataire (n.m./n.f.)	single person
cellulaire (adj.)	cellular
central(e) (adj.)	central
centre (n.m.)	centre
ça veut dire (expr.)	that means
chambre à coucher (n.f.)	bedroom
chance (n.f.)	luck
chanteuse (n.f.)	singer
charme (n.m.)	charm
chatteur (n.m.)	chatter in chat room

chaud(e) (adj.)	hot
chercher (v.)	to look for
cher(ère) (adj.)	expensive
chez nous (expr.)	in our country
choix (n.m.)	choice
cimetière (n.m.)	cemetery
collecte (n.f.)	collection
comme d'habitude (expr.)	as usual, as always
commissaire (n.m.)	captain
communautaire (adj.)	community
communauté (n.f.)	community
communication (n.f.)	communication
compétence (n.f.)	skill
compliqué(e) (adj.)	complicated
compliquer (v.)	to complicate
comprendre (v.)	to understand
confiance en soi (expr.)	self confidence
confiance (n.f.)	confidence
congestion (n.f.)	congestion
congestionné(e)	congested
connaissance (n.f.)	knowledge
connaître (v.)	to know (someone)
conseil (n.m.)	advice
conseiller(ère) (n.m./n.f.)	counsellor
contacter (v.)	to contact
contenir (v.)	to contain
cool (adj.)	cool
copain (n.m.)	friend
copine (n.f.)	friend
correspondent(e) (n.m./n.f.)	pen-pal
coup de foudre (expr.)	love at first sight
courriel (n.m.)	e-mail
courtoisie (n.f.)	courtesy
coutume (n.f.)	custom
crêpe (n.f.)	crepe
croisière (n.f.)	cruise
curieux(euse) (adj.)	curious
CV (n.m.)	curriculum vitae

d

d'abord (adv.)	first/firstly
d'accord (expr.)	OK
d'habitude (expr.)	usually
DDN (expr.)	D.O.B. (date of birth)
de bonne heure (expr.)	early
de plus (expr.)	moreover
découverte (n.f.)	discovery
découvrir (v.)	to discover
déjà (adv.)	already
dent (n.f.)	tooth
départ (n.m.)	departure

déprimé(e) (adj.)	depressed
déprime (n.f.)	depression
depuis (expr.)	since
dessin (n.m.)	drawing
détachement (n.m.)	detachment
devenir (v.)	to become
deviner (v.)	to guess
diabolique (adj.)	diabolical
dialoguer (v.)	to dialogue
difficile (adj.)	difficult
difficulté (n.f.)	difficulty
diplôme (n.m.)	diploma
dire (v.)	to say
diriger (v.)	to direct
discrimination (n.f.)	discrimination
discuter (v.)	to discuss
disparu(e) (adj.)	missing
donc (conj.)	therefore/thus
dormir (v.)	to sleep
doute (n.m.)	doubt
drapeau (n.m.)	flag
droit(e) (n.m./n.f./adj.)	right
drôle (adj.)	funny

e

échec (n.m.)	failure / defeat
égalité (n.f.)	equality
électronique (adj.)	electronic
élève (n.m./n.f.)	student
émerveillé(e) (adj.)	in awe
emploi (n.m.)	job
en retard (expr.)	late
enquête (n.f.)	investigation
enseignant(e) (n.m./n.f.)	teacher
ensuite (adv.)	then
entrevue (n.f.)	interview
envoyer (v.)	to send
époque (n.f.)	era/time
équipe (n.f.)	team
essentiel(le) (adj.)	essential/necessary
étonnement (n.m.)	shock
être (v.)	to be
être d'accord (expr.)	to agree
étudiant(e) (n.m./n.f.)	student
Euro (n.m.)	the Euro
excuse (n.f.)	excuse
exigence (n.f.)	requirement
expérience (n.f.)	experience
expliquer (v.)	to explain
exploitation (n.f.)	exploitation
exprimer (v.)	to express

Lexique général

f

fabriqué(e) (adj.)	made
facilement (adv.)	easily
faire (v.)	to do
faire du bénévolat (expr.)	to do volunteer work
faire partie (expr.)	to be part of/to belong
faire votre connaissance (expr.)	to meet
fameux(euse) (adj.)	famous
famille (n.f.)	family
favori(te) (adj.)	favourite
feuille d'érable (n.f.)	maple leaf
fierté (n.f.)	pride
figurine (n.f.)	figurine
fin de semaine (n.f.)	weekend
finalement (n.m.)	finally
flèche (n.f.)	arrow
fois (n.f.)	time (once, twice)
forêt (n.f.)	forest
formidable (adj.)	outstanding
formule (n.f.)	formula
fraise (n.f.)	strawberry

g

génération (n.f.)	generation
génial-e (adj.)	amazing
glace (n.f.)	ice
grand magasin (n.m.)	department store
guerre (n.f.)	war
guide (n.m.)	guide
guider (v.)	to guide

h

habituellement (adv.)	usually
haleine (n.f.)	breath
hâte (n.f.)	haste
heure (n.f.)	hour
heureusement (adv.)	luckily
historique (adj.)	historic

i

idée (n.f.)	idea
impression (n.f.)	impression
incompris(e) (adj.)	misunderstood
incroyable (adj.)	incredible
inexistant(e) (adj.)	non existent
intéressant(e) (adj.)	interesting
intéressé(e) (adj.)	interested in

j

jeune (adj.)	young
journée (n.f.)	day
jupe (n.f.)	skirt

justice (n.f.)	justice

l

laine (n.f.)	wool
lecteur de disques compacts (n.m.)	compact disc player
lecture (n.f.)	reading
lentement (adv.)	slowly
les personnes âgées (n.f.)	the elderly
les vacances (n.f.)	holiday(s)
lettre de présentation (n.f.)	cover letter
lettre (n.f.)	letter
liaison (n.f.)	love relationship
liberté (n.f.)	liberty
libre (adj.)	free
lit (n.m.)	bed

m

maintenant (adv.)	now
majestueux(euse) (adj.)	majestic
maladie (n.f.)	sickness / disease
manche (n.f.)	sleeve
marché aux puces (n.m.)	flea market
marché (n.m.)	market
marcher (v.)	to work/function
marié(e) (adv.)	married
matin (n.m.)	morning
mécontent(e) (adj.)	unhappy
mécontentement (n.m.)	discontent
meilleur(e) (adj.)	better
méli-mélo (n.m.)	mixture
membre (n.m.)	member
même (adv.)	even/same
mener (v.)	to lead
mère (n.f.)	mother
messager (n.m.)	messenger
messagère (n.f.)	messenger
métro (n.m.)	subway
mettre (v.)	to put/to place
miauler (v.)	to meow
mieux (adv.)	better than
monde (n.m.)	world
moniteur (n.m.)	camp counsellor
monitrice (n.f.)	camp counsellor
monsieur (n.m.)	Mr./mister/sir
morceau (n.m.)	piece
mort(e) (adj.)	dead
mot (n.m.)	word
moyen(ne) (adj.)	medium/average
musée (n.m.)	museum

Lexique général

n

naître (v.)	to be born
nan (expr.)	nah
national(e) (adj.)	national
nature morte (n.f.)	still life
né(e) (adj.)	born
nerveux(euse) (adj.)	nervous
n'est-ce pas? (expr.)	right?
noir(e) (adj.)	black
normalement (adv.)	normally
nougat (n.m.)	nougat
nourriture (n.f.)	food
nouveau(elle) (adj.)	new
nouvelle (n.f.)	news

o

obligatoire (adj.)	mandatory observation au poste
	de travail (expr.)job shadowing
observation (n.f.)	observation
occasion (n.f.)	occasion
ode (n.f.)	ode/poem
œuvre (n.f.)	(art) work
offrir (v.)	to offer
onomatopée (n.f.)	onomatopoeia
ontarien(ienne) (adj.)	Ontarian
orage (n.m.)	storm
orientation (n.f.)	guidance dept.
orignal (n.m.)	moose
ouaips! (expr.)	yeah!
oublier (v.)	to forget
ouvert(e) (adj.)	open

p

paix (n.f.)	peace
pantalon (n.m.)	pants
papier (n.m.)	paper
papoter (v.)	to chatter
parfois (adv.)	sometimes
Parisien (n.m.)	Parisian
parisien(ne) (adj.)	Parisian
particulier(ère) (adj.)	particular
partir (v.)	to leave
partout (adv.)	everywhere
pas du tout (expr.)	not at all
pas seulement (expr.)	not only
passion (n.f.)	passion
patience (n.f.)	patience
patrie (n.f.)	homeland
paysage (n.m.)	landscape
paysagiste (n.m./n.f.)	landscape artist

peindre (v.)	to paint
peintre animalier (n.m.)	painter of animals
peintre animalière (n.f.)	painter of animals
peinture (n.f.)	painting
pendant (adv.)	during
perfectionner (v.)	to perfect
permettre (v.)	to permit
personne (ne...) (pron.)	no one
personne (n.f.)	person
petit pain (n.m.)	bun
peuple (n.m.)	people
peur (n.f.)	fear
phonétique (n.f.)	phonetics
photographie (n.f.)	photograph
pièce de résistance (expr.)	main attraction
piquant(e) (adj.)	biting
pleurer (v.)	to cry
polonaise(e) (adj.)	Polish
porter (v.)	to wear
portraitiste (n.m./n.f.)	portrait artist
positif (ve) (adj.)	positive
poste (n.m.)	position
pratique (adj.)	practical
préféré(e) (adj.)	favourite
premier(ère) (adj.)	first
présentation (n.f.)	presentation
pressé(e) (adj.)	rushed
prier (v.)	to ask
principe (n.m.)	principle
puce (n.m.)	flea

q

qu'ils sont vieux jeu! (expr.)	wow, are they out of it
Quartier Latin	Latin Quarter
quartier (n.m.)	neighbourhood
que la vie est compliquée! (expr.)	boy, is life complicated!
quel(le) (adj.)	which
quelle bonne aubaine (expr.)	what a deal!
quelle catastrophe! (expr.)	what a disaster
quelle journée! (expr.)	what a day!

r

raccrocher (v.)	to hang up
race (n.f.)	race
rapidement (adv.)	quickly
rarement (adv.)	rarely
recevoir (v.)	to receive
rechercher (v.)	to look for
référence (n.f.)	reference
réfléchir (v.)	to think/reflect
rencontrer (v.)	to meet
rendre visite (v.)	to visit someone

renseignement (n.m.)	information
repas (n.m.)	meal
répéter (v.)	to repeat
répétition (n.f.)	rehearsal
répétition générale (n.f.)	final dress rehearsal
répondre (v.)	to answer
représenter (v.)	to represent
résidence (n.f.)	residence
responsabilité (n.f.)	responsibility
responsable (adj.)	responsible
résumé (n.m.)	summary
retravailler (v.)	to rework
réuni(e) (adj.)	united
réunir (v.)	to unite
réussir (v.)	to succeed
réveil (n.m.)	alarm clock
révéler (v.)	to reveal
rigoler (v.)	to laugh
rire (v.)	to laugh
rouge (adj.)	red

s

s'endormir (v.)	to fall asleep
s'impatienter (v.)	to become impatient
s'intéresser (v.)	to be interested
salle de bain (n.f.)	bathroom
salle (n.f.)	room
satisfaction (n.f.)	satisfaction
se brosser (v.)	to brush oneself
se coucher (v.)	to go to bed
se dépêcher (v.)	to rush/hurry
se laver (v.)	to wash oneself
se lever (v.)	to get up
se maquiller (v.)	to put on makeup
se parler (v.)	to speak to one another
se peigner (v.)	to comb oneself
se préparer (v.)	to prepare
se promettre (v.)	to promise one another
se rappeler (v.)	to remember
se raser (v.)	to shave
se rencontrer (v.)	to meet one another
se réveiller (v.)	to wake up
se sentir (v.)	to feel
sérieux(euse) (adj.)	serious
service communautaire (n.m.)	community service
service (n.m.)	service
session (n.f.)	session
seulement (adv.)	only
société (n.f.)	society
sœur (n.f.)	sister
soir (n.m.)	evening

soirée (n.f.)	evening
sondage (n.m.)	survey
souhaiter (v.)	to wish
sourire (n.m.)	to smile
spécial(e) (adj.)	special
spécialité (n.f.)	specialty
suggestion (n.f.)	suggestion
suivre (v.)	to follow
surtout (adv.)	especially
sympa (adj.)	nice

t

tarte (n.f.)	pie/tart
tatouage (n.m.)	tattoo
télécopieur (n.m.)	fax machine
tellement (adv.)	so/so much
toile (n.f.)	canvas
tombe (n.f.)	grave
ton (adj.)	tone
Torontois (n.m.)	Torontonian
totem (n.m.)	totem pole
toujours (adv.)	always
tourner des films (expr.)	to produce movies
tout(e) (adj.)	every/all
tout le monde (expr.)	everyone / everybody
tradition (n.f.)	tradition
travail d'équipe (expr.)	team work
travail (n.m.)	work
trop (adv.)	too much
trouver (v.)	to find
typique (adj.)	typical

u

une pièce de monnaie (n.f.)	coin
unique (adj.)	unique
utile (adj.)	useful

v

valise (n.f.)	suitcase
varier (v.)	to vary
venir (v.)	to come
vêtement (n.m.)	clothing
vie (n.m.)	life
vieux (vieille) (adj.)	old
ville (n.f.)	city
voir (v.)	to see
vol (n.m.)	flight
voyage (n.m.)	trip
vrai(e) (adj.)	true
vraiment (adv.)	really

z

zone (n.f.)	zone

Lexique général

anglais – français

a

art work (n.)	œuvre (n.f.)
absolutely (adv.)	absolument (adv.)
accent (n.)	accent (n.m.)
active (adj.)	actif (ve) (adj.)
activity (n.)	activité (n.f.)
ad (n.)	annonce (n.f.)
adolescence (n.)	adolescence (n.f.)
adolescent (n.)	adolescent(e) (n.m./n.f.)
adolescent/teenager (n.)	ado (n.m.)
adored/loved (adj.)	adoré(e) (adj.)
adult (n.)	adulte (n.m./n.f.)
advice (n.)	conseil (n.m.)
afternoon (n.)	après-midi (n.m./n.f.)
agree (v.)	être d'accord (expr.)
airport (n.)	aéroport (n.m.)
alarm clock (n.m.)	réveil (n.m.)
alienated (adj.)	aliéné(e) (adj.)
allowance (n.)	argent de poche (n.m.)
already (adv.)	déjà (adv.)
also (adv.)	aussi (adv.)
aluminum (n.)	aluminium (n.m.)
always (adv.)	toujours (adv.)
amazing (adj.)	génial-e (adj.)
animal like (adj.)	animalier(ère) (adj.)
answer (n.)	répondre (v.)
arm (n.)	bras (n.m.)
arrival (n.)	arrivée (n.f.)
arrow (n.)	flèche (n.f.)
artist (n.)	artiste (n.m.)
as large as life (expr.)	aussi grand que nature (expr.)
as usual, as always (expr.)	comme d'habitude (expr.)
ask (v.)	prier (v.)
assembly (n.)	assemblée (n.f.)
attend (v.)	assister (v.)
attention/attentiveness (n.)	attention (n.f.)
attitude (n.)	attitude (n.f.)

b

banished (adj.)	banni (e) (adj.)
bathroom (n.)	salle de bain (n.f.)
be interested (v.)	s'intéresser (v.)
be part of/ belong (expr.)	faire partie (expr.)
be (v.)	être (v.)
beautiful (adj.)	beau, bel, belle (adj.)
because of (expr.)	à cause de (expr.)
become impatient (v.)	s'impatienter (v.)
become (v.)	devenir (v.)
bed (n.)	lit (n.m.)

bedroom (n.)	chambre à coucher (n.f.)
better than (adv.)	mieux que (adv.)
better (adj.)	meilleur(e) (adj.)
biting (adj.)	piquant(e) (adj.)
black (adj.)	noir(e) (adj.)
born (adj.)	né(e) (adj.)
born (v.)	maître (v.)
boy, is life complicated! (expr.)	que la vie est compliquée!(expr.)
breath (n.)	haleine (n.f.)
bring (v.)	apporter (v.)
brush oneself (v.)	se brosser (v.)
build (v.)	carrure (n.f.)
bun (n.)	petit pain (n.m.)

c

C.V. (n.)	curriculum vitae (n.m.)
camp counselor (n.)	monitrice (n.f.)
camp counselor (n.)	moniteur (n.m.)
canadian (adj.)	canadien(ne) (adj.)
canvas (n.)	toile (n.f.)
captain (n.)	commissaire (n.m.)
catastrophe (n.)	catastrophe (n.f.)
CD (n.)	CD (n.m.)
cellular (adj.)	cellulaire (adj.)
cemetery (n.)	cimetière (n.m.)
central (adj.)	central(e) (adj.)
centre (n.)	centre (n.m.)
channel (n.)	canal (n.m.)
characteristic (n.)	caractéristique (n.m.)
charm (n.)	charme (n.m.)
chatter (in chat room) (n.)	chatteur (n.m.)
chatter (v.)	papoter (v.)
choice (n.)	choix (n.m.)
city (n.)	ville (n.f.)
clothing (n.)	vêtement (n.m.)
coin (n.)	une pièce de monnaie (n.f.)
collection (n.)	collecte (n.f.)
comb oneself (v.)	se peigner (v.)
come (v.)	venir (v.)
communication (n.)	communication (n.f.)
community service (n.)	service communautaire (n.m.)
community (adj.)	communautaire (adj.)
community (n.)	communauté (n.f.)
compact disc player (n.)	lecteur de disques compacts (n.m.)
complicate (v.)	compliquer (v.)
complicated (adj.)	compliqué(e) (adj.)
confidence (n.)	confiance (n.f.)
congested (adj.)	congestionné(e)
congestion (n.)	congestion (n.f.)
connect/get on line (v.)	brancher (v.)

Lexique général

contact (v.) — contacter (v.)
contain (v.) — contenir (v.)
cool (adj.) — cool (adj.)
cotton candy (n.) — barbe à papa (expr.)
counselor (n.) — conseiller(ère) (n.m./n.f.)
courtesy (n.) — courtoisie (n.f.)
cover letter (n.) — lettre de présentation (n.f.)
crepe (n.) — crêpe (n.f.)
cruise (n.) — croisière (n.f.)
cry (v.) — pleurer (v.)
curious (adj.) — curieux(euse) (adj.)
curriculum vitae (n.) — CV (n.m.)
custom (n.) — coutume (n.f.)

d

D.O.B. (date of birth) (expr.) — DDN (expr.)
day (n.) — journée (n.f.)
dead (adj.) — mort(e) (adj.)
deal (n.) — aubaine (n.f.)
department store (n.) — grand magasin (n.m.)
departure (n.) — départ (n.m.)
depressed (adj.) — déprimé(e) (adj.)
depression (n.) — déprime (n.f.)
detachment (n.) — détachement (n.m.)
detective agent (n.) — agent-détective (n.m.)
diabolical (adj.) — diabolique (adj.)
dialogue (v.) — dialoguer (v.)
difficult (adj.) — difficile (adj.)
difficulty (n.) — difficulté (n.f.)
diploma (n.) — diplôme (n.m.)
direct (v,) — diriger (v.)
discontent (n.) — mécontentement (n.m.)
discover (v.) — découvrir (v.)
discovery (n.) — découverte (n.f.)
discrimination (n.) — discrimination (n.f.)
discuss (v.) — discuter (v.)
district (n.) — canton (n.m.)
do volunteer work (expr.) — faire du bénévolat (expr.)
do (v.) — faire (v.)
doubt (n.) — doute (n.m.)
drawing (n.) — dessin (n.m.)
during (prep.) — pendant (prep.)

e

early (adv.) — de bonne heure (expr.)
easily (adv.) — facilement (adv.)
elderly (adj.) — âgé(e) (adj.)
elderly (n.) — les personnes âgées (n.f.)
electronic (adj.) — électronique (adj.)
e-mail (n.) — courriel (n.m.)
entrance ticket (n.) — billet d'entrée (n.m.)
equality (n.) — égalité (n.f.)

era/time (n.) — époque (n.f.)
especially (adv.) — surtout (adv.)
essential/necessary (adj.) — essentiel(le) (adj.)
Euro (n.) — Euro (n.m.)
even/same (adj.) — même (adj.)
evening (n.) — la soirée/le soir (n.f.)
every/all (adj.) — tout(e) (adj.)
everyone/ everybody (expr.) — tout le monde (expr.)
everywhere (adv.) — partout (adv.)
excited about/be eager/ want (v,) — avoir hâte (de) (expr.)
excuse (n.) — excuse (n.f.)
expensive (adj.) — cher(ère) (adj.)
experience (n.) — expérience (n.f.)
explain (v.) — expliquer (v.)
exploitation (n.) — exploitation (n.f.)
express (v.) — exprimer (v.)

f

failure / defeat (n.) — échec (n.m.)
fall asleep (v.) — s'endormir (v.)
family (n.) — famille (n.f.)
famous (adj.) — fameux(euse) (adj.)
favourite (adj.) — favori(te) (adj.)
fax machine (n.) — télécopieur (n.m.)
fear (n.) — peur (n.f.)
feel (v.) — se sentir (v.)
figurine (n.) — figurine (n.f.)
final dress rehearsal (n.) — répétition générale (n.f.)
finally (adv.) — finalement (adv.)
find (v.) — trouver (v.)
first inhabitant/aboriginal (n.) — autochtone (n.m./n.f.)
first (adj.) — premier(ère) (adj.)
first/firstly (adv.) — d'abord (adv.)
flag (n.) — drapeau (n.m.)
flea market (n.) — marché aux puces (n.m.)
flea (n.) — puce(n.m.)
flight (n.) — vol (n.m.)
follow (v.) — suivre (v.)
food (n.) — nourriture (n.f.)
forest (n.) — forêt (n.f.)
forget (v.) — oublier (v.)
formula (n.) — formule (n.f.)
free (adj.) — libre (adj.)
friend (n.) — ami (n.m.), amie (n.f.), copain (n.m.), copine (n.f.)
funny (adj.) — drôle (adj.)
future (n.) — avenir (n.m.)

g

generation (n.) — génération (n.f.)
get up (v.) — se lever (v.)
go to bed (v.) — se coucher (v.)

162

Lexique général

go (v.)	aller (v.)
good luck! (expr.)	bon courage! (expr.)
good (adj.)	bon(ne) (adj.)
grave (n.)	tombe (n.f.)
guess (v.)	deviner (v.)
guidance dept. (n.)	orientation (n.f.)
guide (n.)	guide (n.m.)
guide (v.)	guider (v.)

h

hang up (v.)	raccrocher (v.)
happiness (n.)	bonheur (n.m.)
haste (n.)	hâte (n.f.)
have (v.)	avoir (v.)
help (n.)	aide (n.f.)
historic (adj.)	historique (adj.)
holiday(s) (n.)	les vacances (n.f.)
homeland (n.)	la patrie (n.f.)
hot (adj.)	chaud(e) (adj.)
hour (n.)	heure (n.f.)

i

ice (n.)	glace (n.f.)
idea (n.)	idée (n.f.)
impression (n.)	impression (n.f.)
in awe (adj.)	émerveillé(e) (adj.)
in our country (expr.)	chez nous (expr.)
in search of / about	à la recherche de (expr.)
incredible (adj.)	incroyable (adj.)
information (n.)	renseignement (n.m.)
interested in (adj.)	intéressé(e) (adj.)
interesting (adj.)	intéressant(e) (adj.)
interview (n.)	entrevue (n.f.)
investigation (n.)	enquête (n.f.)
it's cool (expr.)	c'est chouette (expr.)

j

jacket (n.)	blouson (n.m.)
job (n.)	emploi (n.m.)
jovial (adj.)	bon vivant (expr.)
just as (expr.)	ainsi que (expr.)
justice (n.)	justice (n.f.)
job shadowing	observation au poste de travail (expr.)

k

know (someone) (v.)	connaître (v.)
knowledge (n.)	connaissance (n.f.)

l

land (v.)	atterrir (v.)
landscape artist (n.)	paysagiste (n.m./n.f.)
landscape (n.)	paysage (n.m.)
late (adv.)	en retard (expr.)
Latin Quarter	Quartier Latin
laugh (v.)	rigoler (v.)
laugh (v.)	rire (v.)
lead (v.)	mener (v.)
leave (v.)	partir (v.)
left (n.)	à gauche (n.f.)
letter (n.)	lettre (n.f.)
liberty(n.)	liberté (n.f.)
life (n.)	vie (n.m.)
lively (adj.)	animé(e) (adj.)
look for (v.)	chercher (v.)
look for (v.)	rechercher (v.)
love at first sight (expr.)	coup de foudre (expr.)
love relationship (n.)	liaison (n.f.)
luck (n.)	chance (n.f.)
luckily (adv.)	heureusement (adv.)

m

made (adj.)	fabriqué(e) (adj.)
main attraction (expr.)	pièce de résistance (expr.)
majestic (adj.)	majestueux(euse) (adj.)
mandatory (adj.)	obligatoire (adj.)
maple leaf (n.)	feuille d'érable (n.f.)
market (n.)	marché (n.m.)
married (adj.)	marié(e) (adj.)
meal (n.)	repas (n.m.)
medium/average (adj.)	moyen(ne) (adj.)
meet (v.)	rencontrer (v.)
meet one another (v.)	se rencontrer (v.)
member (n.)	membre (n.m.)
meow (v.)	miauler (v.)
messenger (n.)	messager (n.m.)
messenger (n.)	messagère (n.f.)
missing (adj.)	disparu(e) (adj.)
misunderstood (adj.)	incompris(e) (adj.)
mixture (n.)	méli-mélo (n.m.)
money (n.)	argent (n.m.)
moose (n.)	orignal (n.m.)
moreover (expr.)	de plus (expr.)
morning (n.)	matin (n.m.)
mother (n.)	mère (n.f.)
Mr./mister/sir (n.)	monsieur (n.m.)
museum (n.)	musée (n.m.)

n

nah (expr.)	nan (expr.)
national (adj.)	national(e) (adj.)
need (v.)	avoir besoin (de) (expr.)
neighbourhood (n.)	quartier (n.m.)
nervous (adj.)	nerveux(euse) (adj.)
new (adj.)	nouveau(elle) (adj.)

Lexique général

news (n.)	nouvelle (n.f.)
nice (adj.)	sympa (adj.)
no one (pron.)	ne...personne (pron.)
noisy (adj.)	bruyant(e) (adj.)
non existent (adj.)	inexistant(e) (adj.)
normally (adv.)	normalement (adv.)
not at all (expr.)	pas du tout (expr.)
not only (expr.)	pas seulement (expr.)
nougat (n.)	nougat (n.m.)
now (adv.)	maintenant (adv.)

o

observation (n.)	observation (n.f.)
occasion (n.)	occasion (n.f.)
ode/poem (n.)	ode (n.f.)
of course (expr.)	bien sûr/bien entendu (expr.)
offer (v.)	offrir (v.)
OK (expr.)	d'accord (expr.)
old (adj.)	vieux(vieille) (adj.)
only (adv.)	seulement (adv.)
onomatopoeia (n.)	onomatopée (n.f.)
Ontarian (adj.)	ontarien(ienne) (adj.)
open (adj.)	ouvert(e) (adj.)
outstanding (adj.)	formidable (adj.)

p

paint (v.)	peindre (v.)
painter of animals (n.)	peintre animalier (n.m.)/ peintre animalière (n.f.)/animaliste (n.m./n.f.)
painting (n.)	peinture (n.f.)
pants (n.)	pantalon (n.m.)
paper (n.)	papier (n.m.)
Parisian (n.)	Parisien (n.m.)
Parisian (adj.)	parisien(ne) (adj.)
particular (adj.)	particulier(ère) (adj.)
passion (n.)	passion (n.f.)
patience (n.)	patience (n.f.)
peace (n.)	paix (n.f.)
pen-pal (n.)	correspondent(e) (n.m./n.f.)
people (n.)	peuple (n.m.)
perfect (v.)	perfectionner (v.)
permit (v.)	permettre (v.)
person (n.)	personne(n.f.)
pet-peeve (expr.)	bête noire (expr.)
phonetics (n.)	phonétique (n.f.)
photograph (n.)	photographie (n.f.)
pie/tart (n.)	tarte (n.f.)
piece (n.)	morceau (n.m.)
pleasant (adj.)	agréable (adj.)
Polish (adj.)	polonaise(e) (adj.)
portrait artist (n.)	portraitiste (n.m./n.f.)
position (n.)	poste (n.m.)

positive (adj.)	positif (ve) (adj.)
practical (adj.)	pratique (adj.)
prepare (v.)	se préparer (v.)
presentation (n.)	présentation (n.f.)
pride (n.)	fierté (n.f.)
principle (n.)	principe (n.m.)
produce movies (v.)	tourner des films (expr.)
promise one another (v.)	se promettre (v.)
put (v.)	mettre (v.)
put on makeup (v.)	se maquiller (v.)
quickly (adv.)	rapidement (adv.)

r

race (n.)	race (n.f.)
rarely (adv.)	rarement (adv.)
reading (n.)	lecture (n.f.)
really (adv.)	vraiment (adv.)
receive (v.)	recevoir (v.)
red (adj.)	rouge (adj.)
reference (n.)	référence (n.f.)
rehearsal (n.)	répétition (n.f.)
remember (v.)	se rappeler (v.)
repeat (v.)	répéter (v.)
represent (v.)	représenter (v.)
requirement (n.)	exigence (n.f.)
residence (n.)	résidence (n.f.)
responsibility (n.)	responsabilité (n.f.)
responsible (adj.)	responsable (adj.)
reveal (v.)	révéler (v.)
rework (v.)	retravailler (v.)
right (n./adj.)	droit(e) (n.m./n.f./adj.)
right? (expr.)	n'est-ce pas? (expr.)
room (n.)	salle (n.f.)
rush/hurry (v.)	se dépêcher (v.)
rushed (adj.)	pressé(e) (adj.)

s

satisfaction (n.)	satisfaction (n.f.)
say (v.)	dire (v.)
see (v.)	voir (v.)
see you later (expr.)	à plus tard (expr.)
self confidence (expr.)	confiance en soi (expr.)
send (v.)	envoyer (v.)
serious (adj.)	sérieux(euse) (adj.)
service (n.)	service (n.m.)
session (n.)	session (n.f.)
shave (v.)	se raser (v.)
shock (n.)	étonnement (n.m.)
sickness /disease (n.)	maladie (n.f.)
since (prep.)	depuis (prep.)
singer (n.)	chanteuse (n.f.)
singer (n.)	chanteur (n.m.)

Lexique général

single person (n.)	célibataire (n.m./n.f.)
sister (n.)	sœur (n.f.)
skill (n.)	compétence (n.f.)
skirt (n.)	jupe (n.f.)
sleep (v.)	dormir (v.)
sleeve (n.)	manche (n.f.)
slowly (adv.)	lentement (adv.)
smile (n.)	sourire (n.m.)
so/so much (adv.)	tellement (adv.)
society (n.)	société (n.f.)
sometimes (adv.)	parfois (adv.)
soon (adv.)	bientôt (adv.)
soul (n.)	âme (n.f.)
speak to one another (v.)	se parler (v.)
special (adj.)	spécial(e) (adj.)
specialty (n.)	spécialité (n.f.)
still life (n.)	nature morte (n.f.)
stop (n.)	arrêt (n.m.)
storm (n.)	orage (n.m.)
strawberry (n.)	fraise (n.f.)
student (n.)	étudiant(e)/élève (n.m./n.f.)
stupid (adj.)	bête (adj.)
subway (n.)	métro (n.m.)
succeed (v.)	réussir (v.)
suggestion (n.)	suggestion (n.f.)
suitcase (n.)	valise (n.f.)
survey (n.)	sondage (n.m.)

t

tattoo (n.)	tatouage (n.m.)
teacher (n.)	l'enseignant(e) (n.m./n.f.)
team work (n.)	travail d'équipe (expr.)
team (n.)	équipe (n.f.)
that means (expr.)	ça veut dire (expr.)
then (adv.)	ensuite (adv.)
therefore/thus (conj.)	donc (conj.)
think/reflect (v.)	réfléchir (v.)
this (adj.)	ce/cette (adj.)
time (once, twice) (n.)	fois (n.f.)
tone (n.)	ton (n.m.)
too much (adv.)	trop (adv.)
tooth (n.)	dent (n.f.)
Torontonian (n.)	Torontois (n.m.)
totem pole (n.)	totem (n.m.)
tradition (n.)	tradition (n.f.)
trip (n.)	voyage (n.m.)
true (adj.)	vrai(e) (adj.)
typical (adj.)	typique (adj.)

u

understand (v.)	comprendre (v.)
unhappy (adj.)	mécontent(e) (adj.)
unique (adj.)	unique (adj.)
unite (v.)	réunir (v.)
united (adj.)	réuni(e) (adj.)
useful (adj.)	utile (adj.)
usually (adv.)	d'habitude (expr.)/habituellement (adv.)

v

vary (v.)	varier (v.)
visit someone (v.)	rendre visite (v.)
volunteer work (n.)	bénévolat (n.m.)
volunteer (n.)	bénévole (n.m.)

w

wake up (v.)	se réveiller (v.)
walk (n.)	balade (n.f.)
war (n.)	guerre (n.f.)
wash oneself (v.)	se laver (v.)
wear (v.)	porter (v.)
weekend (n.)	fin de semaine (n.f.)
well (adv.)	bien (adv.)
what a day! (expr.)	quelle journée! (expr.)
what a deal! (expr.)	quelle bonne aubaine (expr.)
what a disaster! (expr.)	quelle catastrophe! (expr.)
which (adj.)	quel(le) (adj.)
wing (n.)	aile (n.f.)
wish (v.)	souhaiter (v.)
with confidence (expr.)	avec confiance (expr.)
with pleasure (expr.)	avec plaisir (expr.)
with pride (expr.)	avec fierté (expr.)
wool (n.)	laine (n.f.)
word (n.)	mot (n.m.)
work (n.)	travail (n.m.)
work/function (v.)	marcher (v.)
workshop (n.)	atelier (n.m.)
world (n.)	monde (n.m.)
wow, are they out of it! (expr.)	qu'ils sont vieux jeu! (expr.)

y

yeah! (expr.)	ouaips! (expr.)
year (n.)	an (n.m.)
young (adj.)	jeune (adj.)

z

zone (n.)	zone (n.f.)

Index grammatical

Index grammatical